VIAGENS MÍSTICAS

Pedro Siqueira

VIAGENS MÍSTICAS

Minhas experiências
com anjos e santos
em peregrinações
pelo mundo

Copyright © 2021 por Pedro Siqueira
Todos os direitos reservados. Nenhuma parte deste livro pode ser utilizada ou reproduzida sob quaisquer meios existentes sem autorização por escrito dos editores.

As passagens bíblicas deste livro foram retiradas principalmente da Edição Pastoral da Bíblia Sagrada, da editora Paulus.

edição: Nana Vaz de Castro
copidesque: Gabriel Machado
revisão: Hermínia Totti e Luiza Miranda
projeto gráfico e diagramação: Natali Nabekura
capa: Angelo Allevato Bottino
imagem de capa: Charles O'Rear | Getty Images
imagens de miolo: Due997 | Shutterstock (p. 28-29); Père Igor | Wikimedia Commons (p. 64-65); Vitor Oliveira | Wikimedia Commons (p. 88-89); Aldemir Cardozo Nunes | Shutterstock (p. 110-111)
impressão e acabamento: Pancrom Indústria Gráfica Ltda.

CIP-BRASIL. CATALOGAÇÃO NA PUBLICAÇÃO
SINDICATO NACIONAL DOS EDITORES DE LIVROS, RJ

S632v

Siqueira, Pedro, 1971-
Viagens místicas / Pedro Siqueira. - 1. ed. - Rio de Janeiro : Sextante, 2021.
144 p. ; 21 cm.

ISBN 978-65-5564-148-6

1. Siqueira, Pedro, 1971- - Viagens. 2. Maria, Virgem, Santa - Santuários. 3. Peregrinos e peregrinações. I. Título.

21-69505
CDD: 263.04
CDU: 27-57

Meri Gleice Rodrigues de Souza - Bibliotecária - CRB-7/6439

Todos os direitos reservados, no Brasil, por
GMT Editores Ltda.
Rua Voluntários da Pátria, 45 – Gr. 1.404 – Botafogo
22270-000 – Rio de Janeiro – RJ
Tel.: (21) 2538-4100 – Fax: (21) 2286-9244
E-mail: atendimento@sextante.com.br
www.sextante.com.br

*Dedico este livro ao meu filho,
João Antônio, para que cresça cultivando
sempre sua espiritualidade.*

Sumário

PREFÁCIO	9
Comunhão dos santos	15
DEVOÇÕES	17
Rosário	19
Via-Sacra	23
Anjo da guarda	25
MEDJUGORJE	29
A viagem	31
A tempestade e o mensageiro angélico	34
Chegada a Medjugorje	37
Subida do Podbrdo	38
Um presente inesperado	40
Via-Sacra com um exorcista italiano	42
Frei Jozo e um episódio assustador de possessão demoníaca	47
O milagre do sol	52
Frei Slavko	54
Segunda visita a Medjugorje	57
Novos fenômenos	60
LOURDES	65
Primeira visita a Lourdes	67
As águas de Nossa Senhora	68
O milagre da lua	72
A Via-Sacra e as lágrimas de Cristo	74
Um acontecimento extraordinário na gruta milagrosa	76

Visita dos anjos	78
Uma relíquia da Virgem Maria	81
Pisando nas nuvens com os anjos	84
FÁTIMA	89
Bosque de Valinhos	91
A segunda visita a Fátima	93
Uma ajuda de Santo Antônio de Pádua	94
Via-Sacra com São Bento	96
Queimando as amarras	100
O milagre do sol	103
Os anjos ministeriais e o anjo da guarda da família	106
TERRA SANTA	111
Monte das Oliveiras	113
Encontro com o arcanjo Gabriel na gruta	114
O Anjo Consolador	116
Monte Sião	118
Muro das Lamentações	119
Gruta da Natividade	121
Emaús	123
Visita dos anjos	125
O poço de Galicanto	127
Belo testemunho de um episódio marcante	129
Santo Sepulcro	131
Monte das Bem-Aventuranças	133
Nazaré	134
CONSIDERAÇÕES FINAIS	137
AGRADECIMENTOS	141

Prefácio

Na minha caminhada espiritual, manter um diário com as experiências místicas, ideias, intuições e relatórios da prática de exercícios e devoções trouxe benefícios. Atualmente, desenvolvo essa atividade no celular, guardando minhas memórias em uma nuvem digital. Tudo muito seguro, fácil e prático.

Algumas vezes, ao me referir às minhas anotações, notei o olhar espantado de certas pessoas, como se isso fosse coisa de gente do século retrasado. Alguns até me perguntaram se eu tinha o hábito de escrever sobre tudo o que acontecia na minha vida. Não acho necessário. Registro em meu diário só os dados espirituais que considero relevantes.

Não são apenas escritos: trata-se de uma colcha de retalhos, que reúne também vídeos, fotografias e gravações de voz, algo que seria impossível décadas atrás, no formato tradicional de um diário de papel, mas que agora é bem simples. Os relatos mais antigos, produzidos antes do advento do mundo virtual, foram digitalizados, sendo incorporados ao diário. Viva a tecnologia!

Consulto periodicamente meus registros para reler anotações que fiz em anos anteriores, verificando meu progresso espiritual. Analiso, por exemplo, a evolução do diálogo e da intimidade com meu anjo da guarda. Estudo as áreas da minha missão em que preciso me empenhar mais, bem como aquelas em que tive sucesso. Tenho um panorama do que está funcionando bem e daquilo que precisa ser modificado.

Por diversas vezes, anotei ali sinais ou descrevi imagens simbólicas que recebi do Reino dos Céus. Tenho até hoje os desenhos que fiz há mais de dez anos, reproduzindo uns poucos símbolos que meu anjo da guarda fez surgir no ar em uma manhã de oração no Santuário da Medalha Milagrosa do Rio de Janeiro. Segundo ele, faziam parte de uma espécie de alfabeto angélico, mas ainda não descobri o que significam exatamente. Mesmo assim, os mantenho guardados no diário, pois algumas vezes me acontece de, anos depois de ter recebido uma mensagem, símbolo ou sinal, compreender para que servem ou o que querem dizer.

Digo isso tudo para que meu leitor entenda a importância de registrar as visões e experiências espirituais. Para escrever meus livros, meu diário é peça fundamental. Em diversas tardes de autógrafos, os leitores me perguntaram como eu conseguia me lembrar de eventos do passado com tantos detalhes. Tenho boa memória, mas, se eu não os tivesse anotado, filmado, fotografado ou documentado de algum modo, textos como o que você tem em mãos agora não existiriam.

Não me pergunte por que Deus me manda mensagens cifradas. Imagino que seja para me incentivar a persistir no aprendizado, porém não tenho certeza. Sei que Ele não faz isso somente comigo, mas com todas as pessoas que conheço. Concluo que faz parte de sua didática. Alguns leitores devem estar se perguntando agora se o tema deste livro são os símbolos e sinais divinos. Eu diria que, indiretamente, sim. Desde 2017, um ano após o lançamento do meu livro de maior sucesso, *Todo mundo tem um anjo da guarda*, meus leitores vinham insistindo para que eu escrevesse um novo texto apresentando ensinamentos sobre o mundo dos anjos, sobre a forma de atuação dos santos e da Virgem Maria entre nós, descrevendo o que vejo no plano espiritual através dos meus dons místicos. Parte do que aprendi me foi comunicado pelos mensageiros de Deus telepaticamente ou em sonhos, por meio de sinais, imagens e símbolos.

Depois de selecionar os tópicos deste livro, recorri ao meu diário para extrair fatos que pudessem ilustrar aquilo que eu queria passar. Foi então que decidi fazer uma narrativa com os acontecimentos místicos e sobrenaturais relativos à Virgem Maria, aos anjos e aos santos que presenciei quando estive nos santuários marianos de Medjugorje, Lourdes e Fátima, além da Terra Santa.

Os fatos deste livro se deram entre 1999 e 2020. Portanto, cerca de vinte anos das minhas experiências no campo da espiritualidade estão condensados nas próximas páginas. Procurei atender aos anseios dos meus leitores, respondendo, inclusive, a algumas questões levantadas nas minhas redes sociais.

Enquanto escrevia os capítulos, surgiu uma dúvida: vale mesmo a pena narrar experiências sobrenaturais? Isso não serve apenas para satisfazer a curiosidade do meu público? Será que favorece a espiritualidade dos que buscam a Deus? Para uma pessoa ter fé, é fundamental que passe por algo do tipo durante a vida? Fiquei preocupado em não estar cumprindo com a minha missão evangelizadora.

Resolvi, então, compartilhar o questionamento com duas pessoas da minha confiança: meu diretor espiritual, frei Juan Antonio González Espejel, e meu primo Alexandre Pinheiro, doutor em teologia pela PUC-Rio. Por conhecerem a fé católica com profundidade, poderiam me dar uma luz.

Os dois responderam que eu não deveria me preocupar. Na opinião deles, com este livro eu tenho a oportunidade de transmitir ao povo uma boa catequese com base em fatos extraordinários. Assim, estou servindo a Deus e me apresentando como um instrumento de evangelização útil para sua obra. Sendo um homem com dons místicos, não devo omitir minhas experiências com o mundo espiritual. As pessoas podem ter sua fé fortalecida com o livro – um ponto fundamental nos tempos turbulentos de hoje.

Assim, me convenci de que poderia dar uma contribuição positiva àqueles que trilham o caminho da espiritualidade. Todavia, frei Juan e Alexandre me aconselharam a fazer uma ressalva importante, especialmente para os que gostam de colecionar testemunhos sobre a existência e atuação do mundo espiritual, dando-lhes demasiada importância: aos olhos de Deus, vale muito mais aquela pessoa que não viu nem ouviu nada no plano espiritual, mas tem fé e acredita que o Pai Celestial tudo pode.

Jesus se encantava com a fé dos que encontrava e se decepcionava muito com a falta dela. São Tomé duvidou da ressurreição do Senhor, quando seus companheiros apóstolos lhe contaram que O tinham visto. Incrédulo, ele provocou os demais: "Se eu não vir a marca dos pregos nas mãos de Jesus, se eu não colocar o meu dedo na marca dos pregos, e se eu não colocar a minha mão no lado dele, eu não acreditarei" (João 20, 25).

Os apóstolos não o contestaram. O texto do Evangelho indica que houve apenas o silêncio. Jesus solucionou esse impasse uma semana depois. Apareceu aos seus discípulos, que estavam reunidos de portas fechadas. Tomé estava entre eles. O Senhor se postou no meio deles e, depois de lhes desejar a paz, falou diretamente a Tomé: "Estenda aqui o seu dedo e veja as minhas mãos. Estenda a sua mão e toque o meu lado. Não seja incrédulo, mas tenha fé" (Jo 20, 27). O Salvador conclui, implacável, dizendo a todos: "Felizes os que acreditaram sem ter visto" (Jo 20, 29). Imagino como o apóstolo incrédulo ficou sem graça diante da presença e do discurso do Mestre! Como um homem que conviveu por tanto tempo com Jesus não tinha fé? O ser humano é surpreendente.

Comunhão dos santos

Neste livro, traduzi em palavras as maravilhas que observei no mundo espiritual com o intuito de alimentar a fé dos meus leitores e reafirmar que existe, de fato, a chamada "comunhão dos santos", ou seja, o convívio real entre os que estão na glória de Deus (santos, anjos e a Virgem Maria) e nós, que estamos vivos aqui na terra. Não estamos sozinhos. Eles nos auxiliam, para que nossa vida e nosso mundo sejam melhores.

Escrevo também para que todos compreendam que ter experiências místicas não é algo reservado apenas a alguns poucos privilegiados, com dons extraordinários. Conforme vocês verão, há gente "comum" que presenciou eventos sobrenaturais na minha companhia. Como isso é possível? A verdade é que todos nós temos acesso direto ao Pai Celestial e ao mundo invisível, pois Ele está em nós. Quero reforçar algo que já venho dizendo aos leitores desde meu livro *Você pode falar com Deus* e que consta em uma antiga canção católica: "Deus habita no meu coração, Deus habita no seu coração."

Somos criados por Deus e para Deus. Este é o ensinamento de São Paulo, na Carta aos Colossenses (1, 16): "Nele foram criadas todas as coisas nos céus e na terra, as criaturas visíveis e as invisíveis. Tronos, dominações, principados, potestades: tudo foi criado por Ele e para Ele." No mesmo sentido, temos também o escólio de Santo Agostinho, que, em seu livro *Confissões*, escreveu: "Tarde Vos amei, ó Beleza tão antiga e tão nova, tarde

Vos amei! Eis que habitáveis dentro de mim, e eu lá fora a procurar-Vos!"

Existe, portanto, uma ligação especial entre o ser humano, Deus e o mundo espiritual. Ainda que algumas pessoas a ignorem, ela nunca se desfaz. Por isso, a qualquer tempo, podemos reatar nossa comunicação com o Criador e aprimorá-la.

Se for da vontade de Deus, todos podem ter experiências espirituais com anjos e santos, já que Ele habita em nós e somos suas criaturas. Temos, desde sempre, a capacidade de nos comunicar com nosso Pai e seus escolhidos, que estão em sua glória. São a nossa falta de prática e a nossa pouca fé que nos distanciam do Criador, prejudicando a habilidade de sentirmos sua presença. É necessário buscar a Deus com vontade, dia a dia. Sem perseverança, não há resultado positivo. Nem todo mundo trilha com afinco esse caminho.

O objetivo deste livro é que vocês, meus queridos leitores, percebam que, como filhos muito amados do Pai Celestial, podemos ter contato íntimo com a Santíssima Trindade, com a Mãe de Deus, com os grandes homens e mulheres que estão no Reino dos Céus (a quem chamamos de santos), bem como seus mensageiros, os anjos.

Acredite: Deus não decepciona aqueles que têm fé!

Devoções

Nos últimos anos, percebi nas redes sociais que muitos dos meus leitores não são católicos apostólicos romanos praticantes. Os católicos enquadram como "praticantes" aqueles que participam frequentemente de atividades religiosas em alguma igreja, ou seja, que "praticam" a religião em seu dia a dia. Já os "não praticantes" às vezes foram apenas batizados, talvez até tenham feito primeira comunhão e se casado na igreja, mas estão afastados de missas e atividades.

Tenho leitores das duas categorias. Além deles, alguns pertencem às mais diversas religiões do planeta, mas (graças a Deus!) apreciam e apoiam as ideias que defendo em meus livros. Por fim, há aqueles que gostam do tema da espiritualidade, mas não seguem uma religião.

Todos os que não fazem parte do grupo "católicos praticantes" volta e meia me pedem para explicar as devoções citadas em meus textos. Desta vez, então, decidi inserir um pequeno capítulo, no qual esclareço quais serão as devoções tratadas no livro e o que elas significam.

Rosário

Há muitos anos, meu trabalho espiritual se iniciou com a recitação do santo terço na Igreja Católica, como já contei no meu livro *Você pode falar com Deus*. Para os que não conhecem essa devoção mariana (ou seja, relacionada à Virgem Maria), trata-se de uma prática que envolve a repetição de algumas orações em sequência, como Pai-Nosso, Ave-Maria, Glória ao Pai e algumas jaculatórias – orações breves, boa parte das vezes em frase única, que os fiéis usam para invocar a Deus –, além da recitação do Credo e da Salve-Rainha.

Não se sabe com exatidão quem criou o rosário ou quando isso ocorreu. Algumas fontes sugerem que sua origem remonta ao século IX, nos mosteiros e conventos católicos, onde os religiosos rezavam os 150 salmos. A partir daí, surgiu a prática dos 150 Pai-Nossos ou Ave-Marias.

Em 1365, fez-se uma combinação das orações, dividindo as 150 Ave-Marias em 15 dezenas e colocando um Pai-Nosso no início de cada uma delas. Por volta de 1500 foi estabelecido que, a cada dezena, seria meditado um episódio da vida de Jesus ou Maria, e assim surgiu o rosário de quinze mistérios. A partir de então, a devoção passou a ser dividida em três partes: mistérios gozosos (o nascimento e a infância de Jesus), mistérios dolorosos (o sacrifício de Jesus na cruz) e mistérios gloriosos (a ressurreição de Jesus). Cada grupo de mistérios equivalia a um terço do rosário. Por isso, nós, brasileiros, o denominamos "terço".

Em 2002, o papa João Paulo II, por meio da Carta Apostólica *Rosarium Virginis Mariae*, recomendou a inserção de um quarto mistério no rosário: o luminoso, sobre o ministério de Jesus junto ao povo. Ainda assim, pelo hábito, continuamos a chamar de terço cada grupo de mistérios. Trata-se de oração fundamental no meu dia a dia. Tem um poder enorme para solucionar problemas que surgem em nosso caminho. Como já dizia São Padre Pio, quando uma pessoa reza o terço, Nossa Senhora se aproxima e a acompanha. Isso, por si só, já deveria servir de incentivo à sua prática, especialmente para aqueles que necessitam da proteção da Mãe de Deus.

Durante os terços que recito com o povo reunido, é possível sentir uma atmosfera diferente. Quando começamos a oração, em geral surge no teto uma janela de luz dourada. Do outro lado vejo Nossa Senhora, juntamente com seus anjos, que descem até onde estamos e tocam as pessoas que rezam.

A luz que essa presença emana é intensa. Penetra nas pessoas e nos objetos. Até mesmo os cabelos dos que estão em oração assumem a coloração emitida pelo manto da Mãe de Jesus e pelo rosário que ela carrega em uma das mãos.

Quando ela vem rezar conosco, surge usando túnica, faixa na cintura e véu na cabeça e está sempre descalça. É impossível expressar sua beleza em palavras. Seu olhar é amoroso e acolhedor. Por vezes, em seus lábios se forma um sorriso delicado. As bênçãos e graças que o povo obtém por intermédio dela são incontáveis.

Alguns leitores podem estar pensando: será que Nossa Senhora vem mesmo acompanhar o terço numa reunião repleta de pessoas comuns? Pedro pode ver tudo isso? Será que mais alguém vê?

Garanto que não sou o único que enxerga nossa mãe celestial.

Em 2018, fui recitar o terço na cidade de Belém (PA). Sem que eu soubesse, estava lá um sacerdote sem as vestes clericais, que era psicólogo de formação e (naquela época) cético. O homem fora ao Santuário de Nossa Senhora do Perpétuo Socorro com a intenção de esclarecer se eu tinha ou não o dom de ver o mundo espiritual. Para ser mais exato, ele queria *provar* que eu não tinha qualquer acesso ao mundo espiritual.

Após meia hora de terço, resolvi descrever como estava Nossa Senhora naquela noite. Pela janela de luz podia vê-la de azul, juntamente com seus anjos, que trajavam uma túnica da mesma cor. Expliquei ao público que esses seres angélicos haviam descido e passeavam no meio das pessoas, tocando algumas delas.

Logo em seguida, falei que, desde o início do nosso encontro, São Francisco de Assis estava de joelhos em frente ao altar, intercedendo por nós. Então, passei a transmitir as mensagens que o santo trouxera dos céus para as pessoas.

Depois que tudo acabou, fui à sacristia esperar meu diretor espiritual, frei Juan Antonio. Antes, porém, entrou como um furacão o tal homem. Ele estava muito aflito, com o olhar assustado. Disse-me seu nome e que, na intenção de me desmascarar, estivera no terço sem roupas que o identificassem como padre. Mas algo havia acontecido e mudado sua forma de pensar.

Segundos antes de eu mencionar a presença de Maria Santíssima e descrever como ela estava vestida, os olhos do sacerdote captaram uma mulher toda iluminada, trajando azul, com um rosário na mão, no alto da igreja, exatamente no ponto para o qual eu apontaria logo depois.

Em uma das mensagens de São Francisco, falei o nome dele (que não é comum) e descrevi as circunstâncias que ele vivia. O homem ficou em choque. Nunca tinha me encontrado na vida. Eu nem sequer sabia de sua existência e não poderia, de forma alguma, conhecer sua situação particular, mesmo porque ele não havia comentado com ninguém a respeito.

Quando foi me encontrar na sacristia, o padre estava visivelmente emocionado. Disse que guardaria para sempre aquela noite em seu coração, pois tinha visto a Virgem Maria com os próprios olhos e, por minha boca, São Francisco de Assis lhe enviara uma mensagem. Impressionado, ele deixara a reunião do terço antes do fim. Foi para casa trocar de roupa e assumir as vestes sacerdotais para retornar e me pedir desculpas.

Quando por fim ele conseguiu conter as lágrimas, eu falei:

– Padre, não precisa se desculpar, pois o senhor nunca me disse nada ofensivo nem me agrediu em nenhum momento.

– Falei mal de você, Pedro. Como psicólogo, disse que você era uma farsa. Estou muito arrependido e envergonhado.

– Não há necessidade de me dizer essas coisas. Basta que fale com a Virgem Maria e lhe agradeça a graça alcançada hoje.

Via-Sacra

Quando eu era criança, uma das devoções católicas que mais me entediavam era a Via-Sacra, ou Via-Crúcis. Para mim, era algo longo, arrastado e cansativo. Para quem não sabe, trata-se da meditação do caminho doloroso que Jesus percorreu, desde sua condenação à morte até a crucificação, ressuscitando no terceiro dia. É dividida em quinze estações.

Na paróquia que eu frequentava, a Via-Sacra era realizada às sextas-feiras, conduzida por senhoras idosas, num compasso tão lento que me dava muito sono. Para piorar, com o microfone ligado às caixas de som da igreja, elas cantavam juntas (cada uma em seu próprio tom) as músicas das estações em estilo de lamúria: "Pela Virgem Dolorosa, Vossa mãe tão piedosa, perdoai-me, meu Jesus, perdoai-me, meu Jesus."

Em 2007, quando estive pela primeira vez no bosque de Valinhos, em Fátima (Portugal), meu anjo da guarda me pediu que adotasse essa prática espiritual. Não a faço com a mesma frequência com que rezo o terço, longe disso. Gosto de fazer a Via-Sacra especialmente quando estou com bastante tempo livre e acompanhado de outras pessoas, em grupos grandes ou pequenos.

Nesses momentos, costumo ter a companhia dos anjos e de alguns santos. Sinto a força do Reino de Deus sobre mim. Parece que uma parcela do mundo espiritual se instaura fisicamente onde estou reunido com os devotos. A atmosfera é incrível.

Para que tenham uma pequena ideia de como é especial, eu e as pessoas que me acompanham costumamos levar entre três e quatro horas para completar a Via-Sacra em Fátima. Durante todo o tempo, ficamos em pé, parando em frente a cada estação para fazer nossas orações, percorrendo o bosque de Valinhos.

Ao final, por incrível que pareça, não há ninguém cansado. Quando concluímos e digo quanto tempo levamos rezando, as pessoas ficam estupefatas. A impressão delas é que o percurso meditado levou, no máximo, meia hora.

Meu dom de visão espiritual fica bastante aguçado durante essa devoção. Foi em uma Via-Sacra em Valinhos, por exemplo, que vi pela primeira vez uma criatura angélica do coro das virtudes (experiência que narrei em *Todo mundo tem um anjo da guarda*). Mas não vou repetir aqui histórias que já contei em meus livros anteriores sobre os fenômenos que presenciei durante a Via-Sacra.

Em algumas tardes de autógrafos, uma pergunta surgiu com frequência: além de você, seus familiares e amigos íntimos, outras pessoas que fizessem a Via-Sacra no bosque de Valinhos poderiam presenciar um fenômeno místico?

Confesso que o questionamento me agradou. Eu também tinha a mesma curiosidade. Precisava fazer o teste.

Assim, em março de 2019, eu e mais de 150 peregrinos fomos ao bosque de Valinhos realizar a Via-Sacra.

Foi uma experiência cheia de surpresas, que está narrada mais adiante, no capítulo sobre Fátima.

Anjo da guarda

Para aqueles que acompanham minha missão, seja nas reuniões do terço, seja por meio dos vídeos do YouTube, meu anjo da guarda é uma criatura muito conhecida. Sua fama teve início com meu livro *Você pode falar com Deus*. Ali, ao tratar da questão da oração pessoal, expliquei que nunca realizava as atividades espirituais sem a presença do meu anjo guardião.

Na época em que o escrevi, pensava que convidar (ou melhor, invocar) o anjo da guarda para auxiliar nas mais diversas tarefas, espirituais ou mundanas, era algo comum entre as pessoas que tinham o hábito de rezar. Ledo engano. Tão logo o livro foi lançado, recebi uma enxurrada de pedidos para falar mais sobre a devoção ao anjo da guarda. Aprendi, então, que muitas pessoas não faziam ideia de que tinham um anjo a lhes guiar e proteger enquanto estivessem aqui neste planeta. Eu precisava fazer algo a respeito.

Na minha concepção, a devoção ao anjo da guarda é essencial para o crescimento espiritual dos que buscam a Deus e, dentro da Igreja Católica, fundamental para quem deseja ter uma vida de oração. Para esclarecer o assunto, elaborei o livro *Todo mundo tem um anjo da guarda*, em que descrevo, com detalhes, a aparência do meu anjo da guarda e algumas formas como ele atua comigo.

Desde então, venho tentando fazer com que as pessoas entendam que seus anjos da guarda gostariam muito de ter intimidade com elas, ajudando-as na caminhada, nas mais diversas áreas da vida. Para isso, entretanto, elas precisam dar atenção a eles, desejando sua presença no dia a dia, invocando seu auxílio.

Meu anjo da guarda normalmente está ocupado com as questões de seu coro angélico e com o trabalho que tem comigo. No coro, ele atua diretamente com o arcanjo Uriel, de quem eu gosto muito.

Neste livro, decidi revelar o nome do meu anjo da guarda: Ismael. Como já expliquei em meus livros anteriores, os anjos têm nome. Da mesma forma que acontece com os humanos, há anjos que têm o mesmo nome. Assim, Ismael pode ser o nome de outros anjos que não o meu – assim como um dos apóstolos de Jesus se chamava Pedro e não sou eu!

Ismael tem a função primordial de coordenar minha missão. As diretrizes da minha caminhada espiritual e aquilo que devo fazer pelo povo de Deus vêm do planejamento que Ismael me expõe. Sem confirmar meus passos com ele, não atuo. Além disso, gosto de lhe submeter minhas ideias e projetos. Peço sua aprovação.

A Igreja Católica Apostólica Romana (da mesma forma que a Igreja Ortodoxa e a Anglicana, diga-se de passagem) tem enorme apreço pela devoção ao anjo da guarda. O papa Pio XI, por exemplo, tinha especial amor ao seu guardião. Inclusive, costumava rezar a oração do anjo da guarda algumas vezes durante o dia. Em uma carta que escreveu a um parente em 1948, ele explicou que, quando precisava visitar alguma personalidade importante para tratar de assuntos da Santa Sé, pedia antes ao anjo da guarda que entrasse em acordo com o anjo da pessoa que iria encontrar. Assim, ele tinha fé de que boas coisas surgiriam da reunião, já que os anjos da guarda dos envolvidos influenciariam o ambiente, os humores e as conversas.

Agora que tratamos das devoções, passemos à narrativa das viagens e, claro, das experiências místicas que eu e as pessoas que me acompanharam tivemos nos santuários marianos de Medjugorje, Lourdes e Fátima, e também na Terra Santa.

O primeiro santuário mariano fora do Brasil em que estive foi o de Medjugorje, na Bósnia-Herzegovina, país dos Bálcãs que fez parte da antiga Iugoslávia. Milhares de católicos frequentam esse vilarejo desde a década de 1980, quando seis jovens (os videntes) avistaram a Virgem Maria no Podbrdo, uma área da colina de Crnica.

Embora Medjugorje não seja um santuário com aparições de Nossa Senhora reconhecidas oficialmente pela Igreja Católica, em 2019 o papa Francisco autorizou peregrinações dos fiéis ao local.

Independentemente da aprovação do Vaticano, o povo católico vem peregrinando até essa cidade com fé e devoção à Nossa Senhora, acreditando em sua intercessão para a obtenção de milagres junto ao Pai Celestial.

Um dado interessante é que as aparições da Virgem Maria se iniciaram durante o regime comunista da antiga Iugoslávia. A região foi duramente castigada pela Guerra dos Bálcãs, em 1992, mas ainda assim elas nunca cessaram, permanecem até hoje.

A viagem

Em junho de 1999, meu irmão e minha mãe decidiram fazer uma peregrinação a Medjugorje. Após algumas explicações sobre o lugar e as aparições de Nossa Senhora que lá aconteciam desde junho de 1981, eles me convidaram.

– Meu filho, venha conosco. Vai ser muito bom para sua vida e muito importante para sua missão com a condução do terço – falou minha mãe.

– Para você, que vê o mundo espiritual, vai ser uma experiência incrível – completou meu irmão.

– Gostaria muito, mas não tenho um centavo – respondi. – Não vou poder ir. Se possível, por favor, levem uma carta com minhas intenções, para ser colocada lá na Colina das Aparições.

Naquela época, Medjugorje já era um destino de peregrinação bastante popular aqui no Brasil. Aliás, não se tratava de um fenômeno religioso brasileiro: embora pequenina, a cidade recebia peregrinos de diversas partes do mundo, especialmente da Itália.

Como já contei em meu livro *Você pode falar com Deus*, assim que meu coração se conformou em não poder ir, houve uma reviravolta na vida do meu irmão e, de forma inesperada, acabei indo à peregrinação no lugar dele, com tudo pago. Foi um dos grandes presentes que Nossa Senhora me deu na vida.

Radiante de felicidade, cheguei à Itália. Horas antes do embarque no *ferryboat* que nos levaria de Ancona (cidade italiana à beira do mar Adriático) até Split, na Croácia, o ônibus do grupo de peregrinos, formado por pouco menos do que trinta pessoas, parou no Santuário de Nossa Senhora do Loreto, na cidade de mesmo nome.

Lá dentro, parei diante da imagem da Virgem e pedi que minha experiência na Bósnia-Herzegovina fosse inesquecível. Precisava que a Mãe de Deus, em atenção às minhas orações, me concedesse algumas graças importantes. Todavia, não conseguia me imaginar na Colina das Aparições, onde Nossa Senhora vinha transmitindo mensagens aos videntes locais. Até aquele momento, minha ficha não havia caído. Não me dera conta de que o simples fato de estar ali, contra todos os prognósticos, já era um sinal claro da minha vitória. Infelizmente, as diversas dificuldades que enfrentava na vida me cegavam e faziam com que, naquele momento, eu me sentisse de certo modo derrotado.

Quando chegamos ao porto de Ancona, saltamos do ônibus animados. Observei que o céu estava limpo. Era um dia bonito, bastante quente. Depois de passarmos pela aduana italiana, nos organizamos em fila indiana diante do *ferryboat* que tomaríamos em direção à Croácia. Eu, que nunca gostei muito de barcos, comentei com Ribamar, o diretor da peregrinação:

– Não gosto de navegar. Geralmente fico enjoado e me sinto preso. Em um barco pequeno como este, então...

– Sério? Mas você foi da Marinha. Como pode? – questionou Ribamar, espantado.

– Verdade. Acho que meu tempo por lá só acentuou minha aversão por barcos. – Eu ri e acrescentei, apontando para o casco da embarcação: – Essa lata-velha aí, no meio do mar Adriático, só Deus sabe como vai ser.

– Ah, fique tranquilo, o mar Adriático é manso. Eu sempre faço a travessia nesse *ferryboat*. Nunca tive problemas. Sabe quantas vezes encarei tempo ruim? Nenhuma. – Ele colocou a mão no meu ombro, querendo me confortar. – Hoje, inclusive, Pedro, não há nenhuma previsão de chuva ou mau tempo.

Enquanto aguardávamos o embarque na plataforma, vi meu anjo da guarda. Ele apareceu em meio a uma forte luz verde e, sem dizer nada, apontou na direção do mar azul. Acompanhei com os olhos e vi nuvens se formando no horizonte. Antes que eu pudesse perguntar algo, o ser angélico me lançou um olhar intenso e desapareceu. Péssimo sinal.

Preocupado, comentei com minha mãe:

– Acho que vem uma tempestade por aí.

– Claro que não – disse ela com segurança. – Aqui não tem dessas coisas. Além disso, a previsão do tempo para hoje é de céu claro.

– Acho que erraram feio, mãe.

– Não diga besteira. Eu já fiz essa travessia para Medjugorje outras vezes, nunca tive problemas. Outras pessoas do grupo também. Repare como está todo mundo tranquilo. Você é marinheiro de primeira viagem. Um punhado de nuvens no céu tem em qualquer lugar. É verão, não vai acontecer nada – disse ela, com um sorriso confiante.

Enfim, subimos no barco, pequeno e malconservado,

passando pelos corredores apertados, para nos alojarmos em suas cabines velhas e minúsculas. Larguei minha bagagem lá dentro e fui dar uma volta pela embarcação. Num dos setores do *ferryboat* havia um refeitório que cheirava a gordura. Além disso, a tripulação croata tratava muito mal as pessoas. Tudo isso fez piorar a péssima impressão que eu já tivera.

A tempestade e o mensageiro angélico

Assim que o barco zarpou, da pequena janela da cabine dava para ver o céu, que ainda estava limpo. Aproveitei para ir até o convés. A vista era muito bonita. Depois de mais ou menos uma hora e meia, resolvi observar o céu novamente. Ele estava tomado por nuvens pesadas. Eu tinha razão: uma tempestade começava a se formar. Em poucos minutos, ondas grandes batiam no barco e o faziam balançar. O povo, antes contente, estava amedrontado. A maioria ficou mareada e se recolheu em suas cabines.

Na hora do jantar, foram raras as pessoas que apareceram no refeitório. Aquelas que, como eu, se aventuraram, viram seus pratos e copos sambarem nas mesas. Ninguém conseguiu comer nada, até porque a comida era muito ruim. Diante daquela situação complicada, todos se levantaram e retornaram às cabines. Era melhor sacolejar lá dentro.

No meio do caos, tive uma intuição muito forte: sair da

minha cabine e ir para o convés. Foi então que vi também uma luz diferente atravessando uma janela. Decidido, me levantei da cama para sair. Fui impedido por minha mãe, que, sem entender nada, me perguntou:

– Aonde você vai? Não pode sair daqui!

– Mãe, preciso ir ao convés.

– O quê?! Ninguém vai deixar você ir até lá. Deve ser proibido ir ao convés nesta situação. Todo mundo sabe que não se pode fazer isso.

– Mãe, eu tenho que ir – insisti, retirando a mão dela do meu braço, com jeito. – Sinto algo me chamar no convés. Tem alguma coisa muito importante para mim lá.

– Não faça isso! – insistiu ela.

Mesmo assim, lhe dei as costas e saí.

Para minha surpresa, não havia ninguém guardando a porta que dava para o convés. Quando a abri, a tempestade me deu um banho. O som da fúria da natureza era estrondoso. Não havia ninguém no convés. Fechei a porta atrás de mim. Diante de toda aquela força, comecei a me sentir muito bem.

Quando olhei para o céu, começou a se formar um pequeno círculo de luz, de coloração magenta, que foi crescendo. Dentro da luz, surgiu um arcanjo, que trajava uma roupa amarela e magenta. Assim que fui iluminado por ele, todo o sentimento de derrota desapareceu de mim. Fui tomado por uma alegria inexplicável. Meu coração estava leve.

Repentinamente, o arcanjo, que mais parecia um gigante nas nuvens, direcionou seus olhos para mim. Perguntei-lhe quem era. Ele se identificou como arcanjo Rafael e disse que aquela tempestade havia sido formada por ele. Eu quis saber se aquilo era uma coisa ruim, alguma forma de punição para as pessoas que navegavam por lá naquele momento. Ele falou que não, que nos estava purificando para o retiro que faríamos em Medjugorje.

Fiquei encantado. Deus, através daquele mensageiro angélico, dava toda a atenção a nós. Que privilégio! Naquele turbilhão de emoções, me esqueci até de onde estava. Não sentia mais a chuva me encharcando. Simplesmente comecei a absorver cada vez mais aquela luz magenta. Senti uma paz enorme e uma alegria sem fim. Fechei os olhos para saborear aquela experiência maravilhosa, que nunca tivera antes. A luz do arcanjo inundava meu cérebro. Eu estava em êxtase.

Não sei quanto tempo durou. Só sei que, em certo momento, um croata grandalhão colocou a mão no meu ombro e começou a me arrastar para o interior da embarcação, esbravejando. Quando dei por mim, estava levando a maior bronca no corredor do barco. Sem dizer nada, dei as costas para ele e me afastei. Ao longe, ouvia o homem ainda vociferando em sua língua.

Quando cheguei à cabine, encharcado, encontrei minha mãe sentada na cama, nervosa. Contei-lhe sobre a experiência que tivera e ela ficou muda, me encarando. Ela sabia que eu não estava brincando. Depois de algum tempo em silêncio, ela se deitou, virou o rosto para mim e me disse, com um sorriso:

— Isso significa que nossa peregrinação a Medjugorje será um sucesso e nós vamos obter muitas graças.

Chegada a Medjugorje

Quando chegamos ao porto de Split, o dia estava ensolarado. Era como se não houvesse ocorrido nenhuma tormenta durante a noite. As pessoas do nosso grupo, com olheiras profundas devido à péssima noite, estavam ressabiadas e ainda com uma ponta de medo. Havia, no entanto, algo de positivo em todos: o alívio por sair do *ferryboat*.

Entramos no ônibus que nos esperava. Ao contrário do barco velho e malconservado, ele era muito confortável. Teríamos ainda duas horas de viagem pela frente. Durante o início do percurso, fiquei surpreso com a beleza da costa da Croácia. O litoral era deslumbrante: mar azul transparente e montanhas de um tom azul-acinzentado.

Cerca de uma hora depois, na fronteira com a Bósnia-Herzegovina, o ônibus parou em um posto policial. De uma forma muito rude, os guardas pediram que todos os passageiros descessem. Não sabíamos exatamente o que estava sendo dito, já que ninguém falava a língua local. Os policiais nos perfilaram no asfalto, ordenaram que o motorista abrisse o bagageiro e retiraram todas as nossas malas.

De forma espalhafatosa, abriram e reviraram o conteúdo das bagagens. Nós observávamos atônitos e impotentes aquela cena absurda. Já tínhamos mostrado nossos passaportes e explicado que éramos peregrinos vindos do Brasil, mas isso não surtiu efeito. Quando terminaram a revista, jogaram tudo de qualquer jeito dentro do ônibus novamente e nos mandaram subir para seguir viagem. O trecho seguinte do percurso foi em silêncio, talvez pelo choque por que havíamos passado.

Enfim, o guia anunciou a chegada ao nosso destino final. Quando olhei para fora, vi uma aldeia que, de tão pequena, não poderia ser chamada de "cidade" sob nenhuma hipótese. O ônibus parou em frente a uma pensão simples. Descemos e nos instalamos nos quartos. Em seguida, fomos almoçar. Durante o nosso retiro ali, o cardápio foi um só: frango com batatas. Lá ficamos por três dias antes de retornar para a Itália.

Na manhã seguinte à chegada, o grupo se reuniu em frente à única paróquia de Medjugorje, a Igreja de São Tiago, na praça principal do povoado. O templo era muito simples. Lá, Nossa Senhora tinha aparecido em plena guerra civil, vestida de branco, com o rosário na mão, identificando-se como a Rainha da Paz. Havia uma imagem em memória da aparição. Tudo era muito singelo, mas arrumado com esmero. Chamou minha atenção o fato de todas as pessoas presentes naquele lugar estarem muito compenetradas, em oração. Ver tamanha fé e concentração me agradou muito.

Subida do Podbrdo

Enquanto nosso grupo participava de uma pequena oração, chamei meu anjo da guarda e lhe disse que precisava de uma graça. Os concursos públicos da área jurídica no

Brasil levam meses e eu estava no meio de um processo de seleção. Conforme já contei no livro *Você pode falar com Deus*, saí dali para subir descalço o Podbrdo (um sacrifício físico que acrescentei para dar mais força às minhas orações), rezando o rosário.

Enquanto eu me preparava para a subida, parei num barzinho. Fazia um calor seco de mais de 40 graus e, em meio à terra batida e à poeira que entrava sem parar nas minhas narinas, boca e pulmões, tentei comprar uma garrafa de água. Em um inglês rudimentar, o dono do bar disse que não tinha água sem gás naquele momento. Perguntei se tinha refrigerante, e ele me deu uma lata prateada, com o desenho de uma cereja. Falei que não tomava álcool. Ele me garantiu que a bebida não era alcoólica, então aceitei. O gosto era horrível! Pensei em deixar a lata no balcão e seguir meu caminho, mas meu anjo da guarda apareceu e me disse para tomar tudo, porque eu iria precisar. Melhor encarar o sabor ruim do que uma desidratação.

Depois de terminar o refrigerante de cereja, cujo nome tinha uma porção de consoantes, eu me concentrei. Para mim, era crucial que eu obtivesse a graça. Meu anjo surgiu à minha frente e me garantiu que, com oração, sacrifício e concentração, eu conseguiria. Aquilo me motivou profundamente.

Durante a subida, ao chegar a um ponto alto, avistei uma cruz de madeira, pouco maior do que eu. Ao redor dela havia rochas, que pareciam sustentá-la. Decidi ir até o madeiro, pousar minhas mãos e fazer uma oração especial a Nossa Senhora, em intenção do concurso.

Um presente inesperado

Antes de tocar a cruz, entretanto, tive uma intuição. Olhando para o horizonte, lembrei-me de um fato muito importante, ocorrido na adolescência. Aos 15 anos, eu havia presenciado o falecimento da minha babá, Amir. Por ela ter me criado com muito amor, eu a considerava minha segunda mãe. Deus me deu a graça de ter duas mães: dona Dulce e Amir. Lá no Podbrdo, com os pés descalços e feridos pelas pedras pontiagudas do solo desértico, senti um aperto no peito e uma saudade muito grande da minha babá.

Quando finalmente me apoiei na cruz, exausto, comecei a rezar pela alma de Amir. Ao término da oração, pedi que Deus me revelasse para onde a tinha levado. Queria saber se ela estava com Ele, no Céu.

Como não obtive resposta, chamei meu anjo e lhe expliquei que gostaria muito de saber onde estava Amir. Ele me olhou, calado e sério. Depois de alguns segundos sem se mover, indicou, com a mão, um ponto no horizonte. Ao longe, acima das casas do povoado de Medjugorje, uma grande abóbada azul se formava. Dentro dela, vi Nossa Senhora toda de branco e, ao seu lado, minha babá, sorridente. Ela acenou para mim e a Virgem Maria sorriu. Nesse momento, uma voz feminina ressoou dentro do meu peito: "Fique tranquilo. Ela está comigo."

Senti uma alegria enorme. Tão logo a visão se desfez, deixei de me apoiar na cruz e me voltei para agradecer ao meu anjo pelo presente. Eu tinha 27 anos, e desde os

15 buscava uma resposta sobre o paradeiro de Amir, que havia falecido de repente, de edema pulmonar. Até então, Deus nunca me mostrara nada, apesar de eu sempre rezar pela alma dela, em especial no momento da missa em que oramos pelos falecidos. O curioso é que aquele não era o objetivo do meu sacrifício. Eu estava ali em busca da graça do concurso.

Quando cheguei ao fim do caminho doloroso, meu anjo da guarda apareceu outra vez. Do alto do céu, apontou para baixo, na diagonal. Ao olhar naquela direção, vi pairar no ar uma gigantesca bandeira do Brasil. Imediatamente, entendi que o cargo federal que eu pleiteava no concurso seria meu. Alguns meses depois, eu estava tomando posse e entrando em exercício.

Aquele primeiro dia foi muito acima das minhas expectativas. Depois de tantos obstáculos, eu estava radiante. Apesar da euforia, não contei de imediato para minha mãe o que havia acontecido. Amir também fora babá dela e do meu tio. Todos lamentaram muito sua morte, ela era amada por toda a família. Minha mãe volta e meia me perguntava onde estava a alma de Amir; ela esperava que, graças aos meus dons, eu pudesse saber.

Não sei bem por quê, mas levei 24 horas para contar a minha mãe. Ela se sobressaltou.

– Eu queria vê-la! Como ela estava? – perguntou, ansiosa.

– Mãe, não sei se dava para mais alguém enxergá-la. Eu a vi no horizonte, dentro de uma abóbada azul-celeste. Ela estava com Nossa Senhora.

– Eu tinha certeza – disse minha mãe, muito emocionada. – Nossa Senhora sempre gostou muito da Amir. Você só me confirmou algo que eu já sabia no meu coração.

Foi uma bonita demonstração de fé. Ela sabia que Nossa Senhora é mãe de todos nós e, como tal, cuida da gente com esmero, até na hora de nossa morte – como diz a famosa oração.

Via-Sacra com um exorcista italiano

No nosso segundo dia em Medjugorje, minha mãe tratou de espalhar a história. O pessoal ficou alvoroçado. O acontecimento turbinou a fé do grupo. Dava para ver no rosto de todos a esperança de obterem as graças que foram lá buscar. Naquele dia, iríamos subir um monte famoso da região, o Križevac, fazendo a Via-Sacra.

Havia no grupo algumas senhoras que não tinham condições de empreender uma subida tão íngreme como aquela, ainda mais num calor brutal de 40 graus – embora à noite a temperatura caísse para cerca de 12 graus. Assim, a ala idosa dos peregrinos sofria de manhã com o calor e à noite com o frio.

Na hora da Via-Sacra, apenas dez pessoas aguentaram fazer o percurso comigo. Em certo momento, ao terminar uma das estações e retomar a caminhada, olhei por cima do ombro e vi um sacerdote todo vestido de preto, de terno, colarinho clerical e sapatos elegantes. Ele se aproximou e, sem ao menos saber se eu falava sua língua, me perguntou, em italiano, se poderia se juntar a mim naquela oração.

– Claro que sim, padre. Mas nossa Via-Sacra está sendo feita em português.

– Não tem problema. Essa oração é igual em todas as línguas, não preciso compreender cada palavra. Basta que você anuncie a estação e eu acompanharei.

– Perfeito. Será uma honra contar com o senhor.

Como todo grupo de peregrinos, o nosso tinha um diretor espiritual, que era o padre Paulo. Nessa hora, ele sorriu para mim e perguntou quem era aquele homem. Respondi que era um sacerdote vindo de uma cidadezinha italiana, que estava em peregrinação e queria rezar conosco. Ele o acolheu com muito gosto, apertou a mão do colega e continuamos, todos juntos, a subida.

Apesar de ter apenas 32 anos, o sacerdote italiano tinha os cabelos quase inteiramente brancos.

– Padre, quando eu era adolescente, um colega meu da escola, da minha idade, tinha uma mecha de cabelos brancos, mas era uma condição genética. É o seu caso também?

– Não, meu cabelo sempre foi todo preto.

– Então o que aconteceu? – perguntei, ainda mais curioso.

– A razão para os meus cabelos brancos é a mesma que me faz estar aqui, em peregrinação.

– O senhor pode me contar?

– Eu era o exorcista oficial da diocese de uma pequena

cidade do norte da Itália. Além disso, era o diretor espiritual de um grupo de jovens da paróquia, um grupo numeroso, que florescia. Eu fiz a primeira comunhão dele, depois a crisma. Conhecia cada pessoa que frequentava minha igreja e sabia que eram jovens de oração.

O padre fez uma pausa para inspirar antes de prosseguir:

– Porém, um acontecimento me abalou demais. Eu estava acostumado a fazer exorcismos. Havia feito cursos no Vaticano, seguia à risca as instruções da Santa Sé sobre o assunto e, normalmente, as coisas iam bem. Mas houve um caso... – Os olhos do homem escureceram. – Foi o que me trouxe aqui.

– E o senhor pode falar sobre esse caso?

– Era uma moça que participava do grupo de jovens. Eu a conhecia desde que ela tinha 12 anos. Um dia, antes do início da missa de domingo, enquanto ela subia as escadas da igreja, começou a passar mal. Dobrou-se para a frente e começou a vomitar. De sua boca, saíram vidro e sangue. Foi um tumulto. As pessoas que viram a cena ficaram horrorizadas, algumas choravam, houve muita gritaria e eu corri para ver o que estava acontecendo. Quando cheguei, ela estava muito branca, em convulsões. Congelei por alguns segundos. Chamamos uma ambulância e a levamos ao hospital. Depois de vários exames, os médicos disseram que, a princípio, não conseguiam encontrar nada de errado nela. Após dois meses, como ela não sarava, explicaram que a medicina não sabia dizer o que estava acontecendo e que ela provavelmente morreria.

– Ela morreu, padre? – perguntei, atônito.

– Calma. A história é complicada. – Ele passou um lenço na testa, enxugando o suor. – No domingo seguinte, a cena se repetiu: quando chegou à missa, ela começou a vomitar pedaços de vidro e sangue. E o mesmo ocorreu no outro domingo, e no outro, e no outro. O episódio de possessão demoníaca ficou famoso e as pessoas começaram a me cobrar uma cura.

– Mas o senhor estava exorcizando a menina desde o início, não?

– Sim. Comecei as sessões de exorcismo logo após a primeira consulta dela no hospital, quando os médicos disseram que os exames realizados não haviam apontado nenhuma doença.

– E, ainda assim, o demônio continuava causando danos à moça?

O sacerdote olhou para o chão e suspirou.

– Sim. Ela estava morrendo. Quando eu fazia o exorcismo, ela vomitava mais vidro e sangue. Depois da terceira sessão comigo, o problema se agravou. Ela começou a também evacuar pedaços de vidro. Perdeu muito sangue e foi diagnosticada com anemia severa. Percebendo que o combate estava acima das minhas forças, fui a Roma e pedi que um exorcista do Vaticano viesse até minha cidade para tentar salvar a vida da garota.

– Conseguiu trazer alguém de Roma?

– Sim. Voltei à minha cidade com outros dois exorcistas do Vaticano. Tentamos, juntos, exorcizá-la. Infelizmente, poucos dias depois, a menina faleceu no hospital.

Aquela história me deixou impressionado. Nunca tinha

ouvido falar que o demônio poderia vencer um exorcista e, no caso, foram três!

– Padre, como pode isso? Três sacerdotes exorcistas e, ainda assim, a moça morre?

O italiano me olhou consternado.

– É por isso que estou aqui – disse ele. – Esse episódio me abalou profundamente. Não me refiro à fé que tenho na Igreja, em Jesus Cristo e na Virgem Maria. Muito pelo contrário. Se eu não fosse um homem de fé, não estaria aqui. Mas abalou minha autoconfiança, minha crença de que sou um bom exorcista e a confiança que eu depositava nos exorcistas do Vaticano. Estou aqui para me recuperar.

Quando chegamos ao topo do Križevac, depois de completar a Via-Sacra, ele me agradeceu e falou que estava se sentindo bem melhor. Disse que entendeu o encontro comigo como um sinal de Nossa Senhora e que voltaria à sua cidadezinha, no dia seguinte, mais confiante. Pediu licença ao pequeno grupo, sentou-se numa pedra, puxou o terço do bolso da calça e começou a rezar sozinho.

Então, me concentrei na cruz do Križevac, que é muito grande e bonita. Quando me aproximei e a olhei bem de perto, notei buracos onde as pessoas colocavam bilhetes com pedidos para Nossa Senhora.

Imediatamente pensei: tenho que colocar aqui minhas intenções. Fui até as senhoras do meu grupo que estavam descansando na sombra e rezando junto às pedras e pedi papel e caneta. As mulheres, curiosas, me perguntaram o motivo. Quando expliquei, falaram que só me emprestariam se eu também pusesse os pedidos delas. Concordei.

Aos pés da enorme cruz, com os bilhetes enfiados nos bolsos da minha calça jeans (inclusive os da minha mãe), fiz uma oração a Nossa Senhora, dizendo que aquele era mais um sacrifício que eu entregava a ela. Escalei a cruz e coloquei lá em cima os papéis. Nessa hora, senti uma enorme paz. Tive a sensação de que Deus me dizia: "Fique tranquilo, eu recebi os seus pedidos."

Desci da cruz e contei o ocorrido para as senhoras do grupo. Algumas choraram de emoção e disseram ter sentido o mesmo em seus corações.

Frei Jozo e um episódio assustador de possessão demoníaca

No dia seguinte à subida do Križevac, fomos em excursão para Mostar, uma cidade próxima, conhecida entre os católicos por seu mosteiro franciscano. Ali vivia um frade de 58 anos chamado Jozo Zovko. O sacerdote era famoso porque, durante um tempo, protegera os jovens videntes de Medjugorje das ameaças e perseguições das autoridades do regime comunista da antiga Iugoslávia. O homem chegou a ficar preso durante um ano e meio devido a suas atividades religiosas, que eram proibidas.

Durante o trajeto para Mostar, o guia turístico nos contou que, antes de ser preso, frei Jozo não sabia falar italiano. Na cadeia, pediu uma Bíblia para fazer suas orações diárias, mas não havia uma em croata. Deram-lhe, então, uma edição italiana. Com base no livro sagrado, misteriosamente, ele teria aprendido o idioma. Não sei se a história é verdadeira, mas o fato é que, ao final, quando nos reunimos com o frade, atestamos que falava italiano muito bem.

Nosso grupo foi até Mostar para participar da missa de frei Jozo e para ter um encontro privado com ele. A igreja era grande. Ocupamos um espaço pequeno, pois não éramos muitos. Como ainda faltavam alguns minutos para o início da missa, resolvi dar uma volta pelo jardim. Lá, me deparei com uma menina bonita, de 14 ou 15 anos, acompanhada por dois rapazes, grandes e fortes, e uma senhora, que parecia ser mãe dela.

Os rapazes, de expressão compenetrada, seguravam a moça pelos braços, um de cada lado. Ela parecia estar passando mal. Colocaram-na sentada em um banco no jardim. Ela deixou a cabeça pender e ficou fitando o chão. Os rapazes e a mãe permaneceram em pé, em frente ao banco.

Padre Paulo me chamou para retornar à igreja. Entrei por uma porta lateral de ferro maciço, muito pesada, e fui me sentar com os outros. Nesse instante, um diácono entrou no presbitério e começou a preparar o local para o início da missa. De repente, escutei um estrondo na porta de ferro. Era a menina que eu vira no jardim. Ela se debatia e urrava como um leão. Os dois croatas enormes estavam tendo dificuldade para segurá-la, e a senhora que os acompanhava chorava e dizia palavras incompreensíveis para mim.

A voz da menina engrossou e sua face mudou: seus olhos ficaram esbugalhados e vermelhos, as pupilas muito dilatadas. Ela agora aparentava ser um homem velho. As pessoas entraram em pânico e começaram a fugir, se atropelando pelo corredor e até mesmo pulando por cima dos bancos. Felizmente havia pouca gente, mas o alvoroço foi grande. Eu estava sentado em um banco, bem na direção da moça, a cerca de 20 metros de distância. Eu me levantei depressa, porém não saí do lugar. Queria ver melhor o que estava se passando, já que aquilo aparentava ser uma possessão ou alguma crise de fundo psiquiátrico.

Quando fiz menção de caminhar para onde ela estava, a menina conseguiu jogar os rapazes no chão com uma força brutal, um para cada lado. Era inacreditável: dois homens enormes sendo arremessados por uma menina franzina. Ela me encarou e eu fiquei parado. Antes que eu pudesse falar, a moça correu e se deteve a cinco palmos de mim. De perto, era ainda mais assustadora. Continuei imóvel, tentando transparecer tranquilidade.

Então ela bradou para mim "Eu te odeio!" em inglês. Senti meu corpo gelar. Sustentei o olhar de ódio dela com serenidade e continuei mudo. Ela começou a gritar "Fora daqui!", ainda no outro idioma. Sua voz era gutural e masculina. Seus trejeitos, seus gestos e sua postura lembravam aqueles sujeitos valentões, que adoram brigar nas ruas das grandes cidades. Em momento algum, no entanto, ela tentou me tocar.

Ao perceber que eu não me mexia, ela girou sobre os calcanhares, xingando em italiano. Olhou na direção do altar e começou a caminhar para lá. O diácono, que estava no presbitério assistindo a tudo, correu para dentro da sacristia. Antes que a garota conseguisse chegar aos degraus que davam acesso ao altar, ele apareceu acompanhado de frei Jozo.

O frade pegou o microfone que estava ligado no ambão e começou a falar em croata com a menina. Levantou a mão direita e, aparentemente, deu ordens a ela.

A menina ficou de joelhos e se pôs a gritar com mais força. O sacerdote largou o microfone e colocou a mão na cabeça dela. Ele parecia rezar, pois estava tranquilo, com voz firme. Poucos segundos depois, a moça desmaiou.

O frade chamou os rapazes e a mulher que acompanhavam a menina. Eles se aproximaram e conversaram alguma coisa. Enquanto falavam, a garota acordou e se sentou no chão. Estava atordoada. O trio a tomou pelos braços e a retirou da igreja. Seu rosto voltara ao normal, mas notei que exibia olheiras profundas e lábios roxos.

Então, frei Jozo iniciou a Santa Missa. Infelizmente, as orações foram todas em croata. Ao final, falando em italiano, ele avisou que quem quisesse poderia se enfileirar diante do altar para receber uma bênção individual. Nosso grupo entrou na fila. Foi um momento de forte emoção. Ele impôs a mão sobre cada um e orou. Quando chegou minha vez, pude sentir minha cabeça pesada, com uma vibração estranha.

Imaginei que, por já ter dado tanta atenção aos fiéis,

ele não receberia mais o nosso grupo de brasileiros. Mas Ribamar, o diretor de nossa peregrinação, nos avisou que deveríamos seguir para a sacristia, pois o frade iria nos receber em alguns minutos.

Quando o sacerdote apareceu, nós o rodeamos. Eu fiquei bem perto do frade e pude observar que ele era mais ou menos da minha altura. Muito sério, não sorria e falava manso, num italiano perfeito. Com muita gentileza, disse-nos algumas palavras e benzeu nossos objetos religiosos.

Foi então que aconteceu algo inusitado. Frei Jozo virou-se para minha mãe e, em italiano, comentou sobre uma situação difícil que ela estava vivendo. Dona Dulce, que entendia razoavelmente bem italiano, arregalou os olhos e virou a cabeça para mim. Como aquele homem podia saber disso? Quando fiz menção de responder, frei Jozo mandou minha mãe baixar a cabeça e orou por ela. No mesmo momento, as senhoras do grupo ficaram animadas e, em alto e bom português, pediram: "Eu também quero! Eu também quero!" Educadamente, o frade impôs a mão na cabeça de todos nós, um por um, fazendo com que a ordem retornasse ao recinto. Por fim, ele se despediu e saiu.

Foi uma visita que valeu a pena. Ficou evidente que, além de ser um bom exorcista, aquele homem tinha dons. Antes de chegarmos a Mostar, o guia nos dissera que frei Jozo teria visto a Rainha da Paz em algum momento de sua vida. Sobre isso, não sei afirmar nada e o frade não mencionou o assunto.

O milagre do sol

Dentro do ônibus, no caminho de volta, perguntei a Ribamar:

– Será que não poderíamos assistir a outra missa de frei Jozo? Quem sabe ele não faz a homilia em italiano para nós?

– Não se preocupe, nós teremos outra missa com ele – disse Ribamar calmamente.

– É mesmo? Quando? – indaguei, surpreso.

– Hoje à tarde, lá no rincão atrás da paróquia de São Tiago, onde as pessoas ficam sentadas nos bancos ao ar livre.

– Ótimo! Teremos duas missas de frei Jozo no mesmo dia!

– Sim. Mas não será uma missa para brasileiros e não será rezada em italiano.

A missa estava cheia, com aproximadamente duas mil pessoas. Frei Jozo estava acompanhado de vários outros sacerdotes, que concelebraram, a maioria deles italianos (ainda hoje, os grupos de peregrinos que vão a Medjugorje são, em sua maioria, italianos). Havia um quarteto de cordas e alguns cantores que se saíram muito bem. Foi uma bela missa. As leituras eram feitas em croata, inglês, francês e italiano. A homilia foi em croata, mas em determinados momentos frei Jozo falou em italiano. Suas palavras foram breves e tratavam de conversão, da oração do rosário, da necessidade da confissão e da importância da comunhão.

Como a missa aconteceu no fim da tarde num descampado, o sol começou a se pôr no céu limpo. Chegou o momento da elevação da hóstia e do cálice consagrados. Foi então que ocorreu algo que eu nunca tinha presenciado. No exato instante em que frei Jozo ergueu os braços, houve uma revoada de pássaros sobre os fiéis, quebrando o silêncio. Segundos depois, as aves se alojaram nas árvores, enquanto o frade continuava a erguer o Corpo do Senhor. O sol, que descia na direção das montanhas, à minha esquerda, começou a balançar de um lado para outro, perdeu sua luz e se transformou em uma hóstia gigante. O povo ficou espantado. Alguns gritaram. Outros saíram de seus lugares, buscando um ângulo melhor para ver. Em seguida, o sol assumiu a forma de um coração vermelho-alaranjado e começou a pulsar. Todo mundo ouviu o som de batimentos cardíacos: *tudum, tudum*. O sol-coração se aproximava do povo e retornava ao seu lugar.

Quando o sol voltou ao normal, frei Jozo finalmente baixou os braços e continuou a celebração. Diante do tumulto, o frade precisou chamar a atenção das pessoas, pedindo silêncio em italiano, lembrando a todos que ainda estávamos no meio da missa e teríamos a comunhão. Aquela foi a primeira vez que eu vi o milagre do sol, uma experiência fantástica que nunca esqueci. Depois, eu ainda presenciaria esse fenômeno no Santuário de Fátima (Portugal), em San Giovanni Rotondo (Itália), Aparecida do Norte (Brasil) e em tantos outros lugares.

Frei Slavko

Enquanto estivemos em Medjugorje, encontramos o pároco da Igreja de São Tiago, frei Slavko Barbaric. Segundo a guia, ele era um homem de envergadura intelectual: doutor em teologia e psicólogo, com um histórico de vida acadêmica. Por causa de seu currículo, o frade foi enviado para Medjugorje quando começaram as aparições, em 1981, com o objetivo de fazer uma avaliação das crianças videntes. Os franciscanos queriam que ele elaborasse um parecer, para saber se o fenômeno místico era verdadeiro.

Durante essa empreitada, o sacerdote se apaixonou pela obra de evangelização desenvolvida em Medjugorje. As conclusões de seu parecer foram positivas. Assim, ele se tornou mais um defensor dos videntes.

Ao longo dos dias em que passamos na cidade, percebemos que ele estava sempre ocupado, celebrando missas, ouvindo confissões, fazendo a Via-Sacra com peregrinos, rezando o terço com fiéis ou cuidando das tarefas administrativas da paróquia. O homem parecia não dormir nem comer. Era excessivamente magro, o rosto anguloso, com nariz aquilino, olhos escuros e cabelos pretos já salpicados de branco. Trajava suas vestes franciscanas o tempo todo. Muito culto, era poliglota (falava com fluência italiano, alemão, espanhol e croata), logo podia atender a diversos grupos de peregrinos.

Frei Slavko ficou famoso como pároco de São Tiago, mas aparentava estar incomodado com tanta atenção. Nos dias em que tivemos algum tipo de contato com ele, percebi que estava sempre mal-humorado, de cara fechada. Não falava manso como frei Jozo e não tinha nem a metade de sua paciência. Seu tom de voz era ríspido. Em geral, dirigia-se aos peregrinos em italiano.

Não sei como, mas ele ainda arranjava tempo para escrever e publicar vários livros. Segundo dados oficiais da diocese, ele teria mais de vinte milhões de exemplares vendidos em todo o mundo. Um escritor best-seller com números espetaculares!

Apesar da falta de traquejo social, o frade tinha fama de ser santo, por isso muitos peregrinos tentavam tocá-lo para, logo em seguida, fazer o sinal da cruz. Ele se irritava visivelmente com aquilo. Seu olhar feroz de reprovação dizia tudo. Boa parte das pessoas do nosso grupo queria se confessar com ele, mas ele tinha pouco tempo para administrar o sacramento. Além disso, havia o grande obstáculo da língua, já que ele não falava português.

Isso frustrou nosso grupo. Minha mãe, por exemplo, era uma das que queriam, a todo custo, uma bênção de Slavko. No nosso último dia na cidade, o frade vinha andando pela rua e tudo indicava que passaria bem perto de nós. Estávamos em cinco ou seis, à sombra de algumas árvores, perto da praça onde se localizava a paróquia. Minha mãe, sem pestanejar, avançou para interromper o caminho dele e pediu em italiano:

– Me dê uma bênção.

– Não, senhora, estou atrasado – respondeu ele com

a cara fechada, fazendo um gesto de quem espanta mosquito, dando a volta para se desviar dela e seguir em frente.

A cena parecia extraída de um filme de comédia. Eu nunca tinha visto um padre se recusar a dar uma bênção a alguém, mas ainda assim tive vontade de rir. Para a surpresa de todos, dona Dulce o segurou pelo braço com as duas mãos.

– Uma bênção! – insistiu ela, sorridente.

O frade virou bicho! Desvencilhou-se e deu um tapa nas mãos dela, gritando, com o rosto vermelho:

– Deixe-me, senhora, deixe-me!

Foi assim que, por fim, o padre conseguiu se livrar da minha mãe e saiu em disparada.

Não consegui mais segurar minha risada. O resto do pessoal, no entanto, não achou graça e, assustados com tamanha grosseria, puseram-se a reclamar da atitude do frade. Dona Dulce, por outro lado, não se ofendeu. Apenas expressou sua tristeza por não ter conseguido a tão sonhada bênção e disse às outras senhoras que voltaria lá no ano seguinte e que frei Slavko iria abençoá-la.

Infelizmente, isso nunca chegou a acontecer. No dia 24 de novembro de 2000, ao final de uma Via-Sacra que dirigia no Križevac, frei Slavko começou a se sentir mal e sentou-se numa pedra para descansar. Logo em seguida, tombou para a frente, caiu no chão e faleceu ali mesmo, vítima de um infarto fulminante.

O sacerdote carrancudo e mal-humorado devia gozar de grande prestígio junto a Nossa Senhora, pois, no dia seguinte ao seu falecimento, houve uma aparição da Virgem Maria a um dos videntes. A Mãe de Deus comunicou ao povo: "O irmão Slavko nasceu para o Céu e intercede por vocês."

Nada mais justo, já que o homem fora incansável no serviço de evangelização, ajudando a implementar a obra de Deus.

Tempos depois, já de volta ao Rio de Janeiro, na paróquia de Santa Mônica, algumas senhoras que haviam estado em Medjugorje comigo me deram um testemunho muito bonito, dizendo que pelo menos uma das graças pedidas naquela ocasião fora atendida. Quanto a mim, além da conquista do cargo público, recebi outra bênção importante que buscava quando estava lá peregrinando.

Medjugorje é realmente um lugar poderoso, onde se pode meditar e rezar com profundidade. A paz que reina na cidade, em especial nas montanhas que a cercam, faz bem ao coração e ao espírito daqueles que procuram se encontrar com Deus. Naquele momento da minha vida, foi fundamental estar lá. Voltei transformado daquela peregrinação que me encheu os olhos e me fez ficar extremamente feliz.

Segunda visita a Medjugorje

Dez anos depois, em 2009, tive a oportunidade de retornar ao povoado, com minha esposa, Natália, e minha mãe, Dulce, em um grupo com cerca de trinta peregrinos.

É interessante notar como Deus nos surpreende em determinadas ocasiões e lugares com acontecimentos sobrenaturais impressionantes e, em outros momentos, apesar de estarmos na mesma localidade, em melhor estado mental e emocional, os mantém adormecidos, evitando que tenhamos experiências extraordinárias. Mistérios do nosso Criador!

Nessa segunda vez que fui em peregrinação, logo que cheguei à cidade de ônibus pude notar uma diferença brutal no cenário. O povoado havia crescido muito: casas novas, vários hotéis e principalmente um comércio que se ampliara de forma impressionante. Muitos restaurantes e uma infinidade de lojas de artigos religiosos (todas semelhantes) espalhavam-se pelas poucas ruas em torno da paróquia de São Tiago.

Quando me deparei com aqueles vendedores impertinentes, que ficam chamando e perturbando os peregrinos, gritando em italiano e inglês, senti um aperto no coração. Eu me decepcionei. Procurava um retiro de silêncio, exatamente como tivera por lá dez anos antes, mas a Medjugorje que eu conhecera não existia mais.

O lugar de paz tinha virado um local barulhento e movimentado, repleto de vendedores, turistas e grupos religiosos. Havia muito mais gente circulando do que da primeira vez. Tão logo nos alojamos nos quartos do hotel, me dirigi à praça da paróquia para verificar se ainda havia por lá confessionários, para a penitência nas mais diversas línguas.

Para minha alegria, as cabines eram mais numerosas do

que antes e as confissões podiam ser realizadas em mais idiomas ainda. O número de sacerdotes voluntários, de diversos países, crescera. Dessa vez, era possível se confessar até mesmo em português. As filas de fiéis continuavam longas. Bom sinal!

As atividades da paróquia de São Tiago, para a minha satisfação, continuavam as mesmas: terços, vias-sacras, missas e confissões. A missa campal ainda acontecia todos os dias no fim da tarde, naquele mesmo local onde eu testemunhara o milagre do sol pela primeira vez, em 1999. A diferença era o tamanho do rincão construído atrás da igreja: estava mais moderno e maior. Com as novas torres de som, podia-se escutar o ministério de música de forma mais nítida.

Infelizmente, frei Jozo não estava mais lá. Eu contava vê-lo uma vez mais, mas ele fora para outro convento franciscano, na Croácia, segundo me informaram no hotel. Frei Slavko, como narrei anteriormente, havia falecido. No grupo de peregrinos, ninguém apontou alguma figura mais proeminente dentre os sacerdotes locais.

De toda forma, eu já tinha na cabeça o roteiro para meu retiro espiritual daqueles dias: além de participar das missas e me confessar, pretendia subir o Podbrdo rezando o rosário e subir o Križevac fazendo a Via-Sacra. Eu queria ficar nos montes o máximo de tempo que me fosse possível. O clima de meditação, oração e introspecção era excelente lá em cima, onde o comércio, o barulho e as inúmeras fotos dos turistas não chegavam (pelo menos assim era em 2009).

Não fui até Medjugorje com a intenção de presenciar eventos extraordinários. Aliás, nunca vou a algum lugar santo com tal propósito. Em 2009, minha situação de vida era bem melhor do que em 1999. Não buscava nenhuma graça especial. Já estava casado havia alguns anos e, para Natália, era a primeira vez na cidade. Minha expectativa era apenas de oração e paz.

Logo que acordei no dia seguinte à nossa chegada, antes de descer para o café da manhã, meu anjo apareceu e me explicou algo importante. Medjugorje era um povoado muito pobre e, como todos os demais daquela região, havia sido afetado pela terrível guerra da década de 1990. Era justo, portanto, que as pessoas de lá pudessem tirar seu sustento do turismo religioso. Segundo meu anjo, eu deveria interpretar o florescer do comércio e do turismo na região como um presente de Nossa Senhora para aquele povo.

O esclarecimento mudou instantaneamente minha percepção negativa. Meu coração ficou leve, minha mente se afastou das coisas materiais e pude aproveitar ao máximo os momentos de oração, sem ficar analisando o barulho e o movimento dos turistas e comerciantes do lugar.

Novos fenômenos

Dois acontecimentos me chamaram a atenção durante aquela estada. O primeiro se deu numa noite de oração, quando nosso grupo participou do santo terço conduzido por um dos videntes da Rainha da Paz, Ivan. Estávamos sentados próximo ao rapaz, que era acompanhado por jovens que cantavam e tocavam violão. Em determinado momento, a lua se pôs a brilhar mais forte. Olhei para cima e vi Nossa Senhora toda de branco ao lado da lua. Não disse nada a ninguém, mas, para minha surpresa, uma das senhoras do grupo, Arani, me cutucou e, sorridente, apontou para a lua falando que estava vendo a Virgem Maria lá em cima. No dia seguinte, outras senhoras me contaram a mesma coisa.

O outro evento se deu numa espécie de minianfiteatro: uma pracinha redonda de concreto, com degraus que simulam uma pequena arquibancada, ao final da Via Domini – um belo caminho, com árvores e painéis que retratam os mistérios luminosos do rosário.

Ali se encontra uma estátua de bronze do Cristo crucificado, enorme, em estilo moderno. Fui informado por alguns peregrinos que, quando as pessoas se aproximavam dela e começavam a rezar, dos seus joelhos brotavam gotas de um líquido transparente, que podia ser recolhido em algum lenço ou frasco. Decidi caminhar até o local para presenciar aquele fenômeno.

Ao me aproximar, avistei umas dez pessoas rodeando a estátua. Assim que me juntei ao grupo, um homem começou a puxar o Pai-Nosso em inglês. Todos o acompanharam. Poucos minutos depois, vi as gotas se formarem e descerem pelas canelas da imagem. Alguns, munidos de lenços brancos, recolhiam as gotas que desciam pernas abaixo.

Quando se abriu um espaço, toquei a estátua de bronze. Minhas mãos ficaram molhadas. Coloquei o líquido na língua para ver que gosto tinha. Totalmente insípido. Também não tinha cheiro. Aparentava ser água pura. O líquido logo se evaporou das minhas mãos. Muito estranho. O mais curioso era que, quando as orações se intensificavam, mais líquido vertia dela.

Recentemente, soube que submeteram o fenômeno a um professor de mensuração mecânica e térmica da Universidade de Pádua, Giulio Fanti. O estudioso teria concluído que o líquido que a escultura aparenta transpirar é formado por 99% água, contendo traços de cálcio, cobre, ferro, potássio, magnésio, sódio, enxofre e zinco. Segundo o analista, metade da estrutura da estátua de bronze é oca, contando com várias microfissuras, sendo razoável crer que o gotejamento seria resultado da condensação devido à troca de ar. Seja como for, não encontrei, em nenhum texto, explicação para o fato de a estátua verter mais água quando as pessoas estão ao seu redor em oração.

No final, apesar da quase ausência de fenômenos místicos, fiquei feliz por ter conseguido fazer um bom retiro espiritual na pequenina cidade. Pretendo, um dia, retornar para uma nova peregrinação, com um grupo maior.

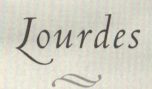

Lourdes

O Santuário de Lourdes está localizado no sudoeste da França, na cidade de mesmo nome, aos pés dos Pireneus. A comuna é linda e acolhedora. As montanhas ao fundo e o rio Gave formam um cenário de beleza extraordinária.

Nesse local, em 11 de fevereiro de 1858, a Virgem Maria apareceu numa gruta a Santa Bernadette Soubirous, uma moça de 14 anos. Lá foi construído um complexo religioso e há três basílicas: São Pio X (subterrânea), Nossa Senhora do Rosário e Imaculada Conceição (onde há uma cripta). Encarando o rio Gave, logo abaixo das basílicas estão a gruta famosa e a fonte de Massabielle, de onde brota a água milagrosa. Bem perto dali há torneiras para o povo coletar gratuitamente o líquido tão especial. Trata-se de uma área de 51 hectares, que reúne 22 lugares distintos de culto.

Primeira visita a Lourdes

Estive em Lourdes pela primeira vez em setembro de 2000, acompanhado por minha esposa, minha mãe e meu diretor espiritual, frei Juan Antonio. Fizemos um breve retiro de dois dias. A intenção era conhecer o local, tido como o santuário mariano com maior número de curas documentadas em todo o mundo.

Logo que cheguei, notei o ar puro e a paisagem digna de filme. Em setembro, o clima da região era muito agradável. O silêncio dentro do santuário era um alento. Havia muita gente, mas os peregrinos, respeitosos, compreendiam que se tratava de uma área de oração e contemplação. Não se ouvia falatório nem barulheira. Tudo no santuário parecia ter sido construído com o intuito de levar as pessoas para perto de Deus.

Quando me deparei com a gruta onde a Virgem apareceu a Bernadette, vi uma bela luz azul-clara, que envolvia por completo o local. Era tão nítida e vibrante que me lembrava aquelas iluminações artificiais com que algumas cidades destacam seus monumentos. Eu piscava os olhos para ver se ela desaparecia, mas não: a luz estava lá de modo definitivo.

Encantado com a tonalidade do azul, entrei numa fila, para caminhar por seu interior. Lá dentro, é possível ver a fonte de onde brota a água milagrosa e, claro, tocar suas paredes internas. Ao pousar minha mão na pedra, percebi que a luz que a gruta emanava se transmitiu para meu braço e tomou conta do meu corpo em questão de segundos. A sensação era muito agradável, parecia que eu estava sendo abraçado pela própria mãe de Cristo. Para completar, ao sair de lá, uma leve brisa tocou meu rosto e senti um incomparável perfume de rosas. A experiência me conquistou de imediato. Eu sabia que estava em um lugar santo e poderoso.

Durante a noite, após a missa, participamos da procissão das velas. O evento se dá em uma espécie de pista oval de asfalto muito extensa, em frente à Basílica do Rosário, ao som de músicas e orações para Nossa Senhora. Como havia muita gente, o efeito do mar de luzes que se moviam à frente era belíssimo. Ao erguer os olhos, contemplei a lua e o céu coberto de estrelas. Como quase não havia iluminação artificial por perto, a nitidez do firmamento era especial. Para mim, a presença de Maria Santíssima era palpável ali. Ao meu redor, pessoas das mais diversas nacionalidades estavam visivelmente emocionadas.

Infelizmente, tivemos pouco tempo no santuário. Saímos de Lourdes com a sensação de que havia muito mais para ser experimentado naquele lugar abençoado. Só pude retornar à cidade nove anos depois, em junho de 2009, num grupo de peregrinos (aquele mesmo de Medjugorje, sobre o qual falei no capítulo anterior).

As águas de Nossa Senhora

Na segunda visita, passei duas noites no Santuário de Lourdes. Apesar dos meus protestos – pois acredito que, para um bom retiro espiritual por lá, sejam necessárias três noites –, tive a oportunidade de rezar e meditar com mais profundidade. O ponto alto, para mim, foram as piscinas.

Quando cheguei ao santuário, fui ao quiosque de atendimento ao peregrino para saber como eu poderia me banhar nas águas de Nossa Senhora. Fui informado que o atendimento era das nove às onze da manhã e bastava esperar pela minha vez em silêncio, me preparando com orações.

Ao me aproximar do complexo onde ficam as piscinas, deparei-me com a divisão: uma fila para homens (muito pequena) e uma para mulheres (bastante encorpada). Peguei meu terço no bolso da calça jeans, mas antes que pudesse começar a rezá-lo, um homem alto e forte, aparentando uns dez anos a mais do que eu, virou-se e me perguntou de onde eu era. Em voz baixa, em inglês, iniciamos uma conversação.

– Sou brasileiro, e você?

– Vim da Dinamarca. Qual a sua história?

– Estive aqui nove anos atrás e gostei muito. Naquela oportunidade, fiquei pouquíssimo tempo e não pude me banhar na piscina. Finalmente, desta vez, vou realizar meu sonho.

– Mas você tem ou teve alguma doença grave?

A pergunta dele me fez examiná-lo melhor. Será que ele estava com alguma enfermidade que poderia acabar com sua vida?

– Não. Meu propósito é exclusivamente espiritual. E você, está bem de saúde?

– Faz pouco tempo, tive um câncer no intestino. Minha

situação se complicou muito. Passei por momentos terríveis. Minha esposa e meu filho pensavam que eu iria morrer.

– Você terminou todo o tratamento do câncer?

– Sim. Atualmente, estou na fase de controle. Segundo meu médico, há risco de o câncer voltar.

– Entendo. Por isso você veio?

– Quando eu estava muito mal, estive aqui pela primeira vez. Alguns amigos sugeriram que eu me banhasse nessas águas. Falaram que alguém em nossa cidade estava desenganado pelos médicos, veio aqui e obteve milagrosamente a cura. Então pensei que valeria a pena a tentativa.

O homem deu um largo sorriso. Apesar da situação, ele estava alegre.

– Você é de Copenhague?

– Moro bem perto. O voo para cá não é longo. Da primeira vez, saí daqui com a sensação de que venceria o câncer. Naquela oportunidade, vim com um amigo católico. Eu não era religioso.

– O que seu médico achou? Ele acreditou que as águas de Lourdes tiveram a ver com o sucesso da sua recuperação?

– Sinceramente, não sei. Quando vieram os primeiros exames, ele se espantou com a melhora considerável. Disse que não tinha muita explicação e que talvez meu organismo estivesse respondendo acima das expectativas.

– Pelo visto, essa não foi a sua conclusão.

– Não. Para mim, fiquei curado por causa do banho aqui.

– Se acredita que ficou completamente curado, por que voltou?

– Porque quero a graça de não precisar mais de acompanhamento médico de seis em seis meses. Quero viver sem esse medo de o câncer voltar.

A voz dele era firme e demonstrava que ele confiava na vitória. Aquilo tocou meu coração. Perguntei a ele se gostaria de rezar um terço comigo enquanto esperávamos nossa vez. Ele topou. Quando chegamos ao terceiro mistério, um senhor francês o convidou a entrar. Fiquei sozinho no banco, aguardando ser chamado.

O senhor francês veio me buscar depois de uns dez minutos. Entrei numa espécie de vestiário, que tinha cabides para pendurar as roupas. Enrolado numa toalha fornecida pelo santuário, me posicionei na borda da piscina. Havia dois senhores franceses de cada lado. Um deles me perguntou se eu gostaria de fazer alguma oração antes de entrar na água. Respondi que sim. Por fim, assenti para lhe indicar que colocara minhas intenções e ele puxou uma Ave-Maria. Todos rezamos juntos.

Fui convidado a descer os poucos degraus até o interior da piscina. A água era extremamente gelada. Parecia que eu tinha enfiado os pés descalços na neve. O mesmo homem disse para eu mirar a pequena imagem da Virgem de Lourdes, que estava em frente, na borda, e me concentrar no que eu buscava. Os homens mergulhariam meu tronco e, depois, com uma jarra, banhariam minha cabeça.

Uma força poderosa tomou conta do meu corpo. Eu não sentia mais frio. Atraído pela água milagrosa, não esperei pelos franceses e me joguei de costas na piscina. Quando voltei à tona, vi que os franceses estavam estupefatos e aborrecidos. Eu não tive muito que fazer, apenas me desculpar. Apesar disso, eu estava radiante e feliz. Via bolas de luzes azuis por todos os lugares, que atingiam em cheio a mim e aos homens. Era um espetáculo muito bonito. Meu corpo todo vibrava intensamente. Fui conduzido para fora da piscina e me desculpei uma vez mais. Ao entrar no vestiário, notei que não havia toalha para me secar. Como eu iria me vestir todo molhado? Ninguém veio me explicar, então resolvi me arrumar assim mesmo. Ao colocar a blusa e a calça, notei que meu corpo estava praticamente seco. Ao calçar os sapatos, já tinha secado totalmente. Como era possível?

Encontrei algumas pessoas do nosso grupo lá fora, na mureta de pedra, à beira do rio Gave. Comentei com eles a situação. Eles me olharam surpresos. Todos já sabiam que não era necessário usar toalha ali. Já tinham passado antes pela experiência e se divertiram com o meu espanto. Perguntei se alguém sabia me explicar o fenômeno, mas não obtive resposta, apenas sorrisos.

O milagre da lua

De noite, meu grupo esteve presente na procissão das velas. Como da vez anterior, foi muito bonita. O céu estava limpo, com o brilho da lua cheia iluminando todo o local. No meio dos peregrinos brasileiros, eu caminhava prestando atenção nas estrelas. Então, o povo parou de andar e começou a entoar algumas orações. Nesse momento, vi parte das estrelas se mover pelo céu. A lua piscou em alta velocidade por algumas vezes e mudou de lugar. Fiquei pasmo.

Comigo estava novamente Arani, a senhora que, em Medjugorje, me dissera que tinha visto a Virgem Maria ao lado da lua, durante a oração na Colina das Aparições. Antes que eu pudesse falar qualquer coisa, ela me cutucou.

– Pedro, a lua piscou e mudou de lugar, assim como as estrelas! – exclamou, feliz, e gargalhou.

– Verdade, eu também vi. Inacreditável! Já tinha ouvido falar do milagre do sol e o tinha visto, mas o da lua é a primeira vez.

– Eu também nunca havia escutado nada a respeito! – confirmou ela, tão impressionada quanto eu.

Aquela foi a única vez que vi o milagre da lua e das estrelas. Nunca ouvi qualquer outra pessoa comentar sobre algo do tipo, até o fim de 2019. Foi quando Anne, que havia peregrinado comigo em agosto desse ano para a Terra Santa, me enviou a seguinte mensagem: "Vim no carro, a caminho de Búzios (RJ), com minha mãe, minha irmã e meu namorado (que é judeu) ouvindo sua *live* no YouTube. Quando chegamos a Búzios, fomos para a praia olhar a lua, que estava enorme no céu todo estrelado. Acho que vimos o milagre da lua, porque ela pulsava, se movia e tinha uma luz azulada forte em volta! Ficamos em choque, não sabia que podia ver essas coisas sem você."

Ao ler esse relato, logo me veio à mente aquela noite abençoada em Lourdes. Fiquei muito feliz por saber que outras pessoas além de mim e de Arani puderam presenciar tamanho espetáculo. Ainda assim, decidi não comentar nada com o povo.

Para minha surpresa, no dia 2 de julho de 2020, uma amiga minha que vive na cidade americana de Charlotte me enviou uma mensagem contando que testemunhou o mesmo fenômeno. Valquíria estava em seu quarto, se preparando para começar o estudo bíblico, enquanto seu marido, Zé, assistia à televisão na sala. De repente, ele entrou nò quarto assustado e perguntou se ela havia visto uma forte luz. Ela negou. Ele a levou até a sala. Lá, um clarão entrava pela janela, como se fosse um canhão de luz a iluminar o protagonista de uma peça. Como não havia nada do lado de fora da janela que pudesse justificar tamanha luminosidade, o casal resolveu descer e ver o que se passava no céu. Do lado de fora do prédio, ambos presenciaram o grande espetáculo que a lua estava dando. Com sua luz azulada muito forte, ela pulsava e dançava no céu escuro, aproximando-se deles, como se descesse até a Terra, para depois voltar para longe. Eles entenderam prontamente que se tratava de um fenômeno místico e Valquíria aproveitou para fazer seus pedidos a Deus. Segundo ela me relatou, o fenômeno também se repetiu na noite seguinte.

A Via-Sacra e as lágrimas de Cristo

Pela manhã, após a celebração da Santa Missa, eu, minha esposa, minha mãe e Valéria, esposa de Otto (um amigo meu, sobre quem escrevi nos livros anteriores), decidimos ir ao bosque do santuário para fazer a Via-Sacra. O dia estava ensolarado e a temperatura, amena. Não havia quase ninguém lá. Era possível ouvir os pássaros e grilos, bem como o farfalhar da folhagem das belíssimas árvores. A Via-Sacra de Lourdes tem suas estações representadas por imagens de bronze em tamanho natural. É possível se aproximar bastante de onde elas estão, na grama, para meditar melhor sobre o sofrimento de Jesus.

Ao atingirmos a terceira estação, Valéria pegou sua câmera e deu um zoom, impressionada com a beleza e perfeição das imagens. Imediatamente, retirou o olho da lente e nos avisou:

– Gente! Olhem para o rosto de Jesus. – Boquiaberta, apontou para a peça de bronze. – Vocês conseguem ver?

– O quê? – quis saber minha mãe, curiosa.

Eu cheguei mais perto para observar e lá estava: uma gota de água havia descido do olho esquerdo do Senhor e encontrava-se, perfeita, sobre sua bochecha, tendo deixado um rastro.

– Ele está chorando? – perguntou-me Valéria.

– Incrível! – exclamou minha mãe, soltando uma gargalhada.

– Não choveu, e não pode ser orvalho, pois já são onze e meia da manhã – comentei. – Além disso, o sol está brilhando desde a hora em que raiou.

– Parece uma lágrima mesmo – falou minha esposa.

Ficamos os quatro ali, estupefatos e, durante alguns segundos, em silêncio. Minha mãe, então, veio com a ideia:

– Jesus está nos mostrando sua insatisfação para com a

humanidade. O que acham de rezarmos aqui nesta estação um terço da misericórdia?

Assim fizemos.

Ao fim do terço, eu falei ao grupo:

– O objetivo de Deus com essa lágrima é fazer com que rezemos pelos que não creem. Apesar de ser um fenômeno belo, que nunca havíamos visto, não podemos perder o foco!

Com alguma dificuldade, consegui tirar as mulheres do lugar e seguir com a Via-Sacra.

Foi uma manhã bastante intensa, onde sentimos todo o tempo a presença de Jesus e dos seus anjos ao nosso redor. Se o leitor está impressionado com os relatos até aqui, há mais um incrível, que se deu na mesma peregrinação.

Um acontecimento extraordinário na gruta milagrosa

No último dia em Lourdes, recebemos a visita de frei Juan Antonio. Meu diretor espiritual estava de férias na sua cidade natal, Oropesa, na Espanha, e pegou um trem para passar o tempo conosco no santuário. Tivemos um dia muito agradável. À noite, nos reunimos na gruta de Nossa Senhora, para um terço final, antes de voltarmos ao Brasil.

Estávamos em frente a uma "árvore de velas acesas" instalada pelo santuário no local, para homenagear a mãe de Cristo. Na parte superior direita da gruta existe uma pequena imagem de Nossa Senhora de Lourdes, apoiada na própria rocha. Não há iluminação em cima dela. Do lugar em que rezávamos, era possível ver, com clareza, a bela escultura.

O pequeno grupo estava bastante concentrado na oração. O frade pediu que cada um de nós conduzisse um mistério do terço. Reparei que todos miravam o mesmo ponto: a imagem da Virgem Maria. Chequei meu relógio, pois o terço se aproximava do fim e eu estava me sentindo cansado. Era quase meia-noite. Frei Juan Antonio, então, começou a falar sobre Nossa Senhora. De repente, ele se calou e ficou olhando fixamente para a estátua. Todos nós seguimos seu olhar. Um grande silêncio se fez.

A imagem começou a tremer muito. Pensei comigo mesmo: "Nossa! Ela vai cair e se espatifar no chão, alguém precisa fazer alguma coisa!" Mas não apareceu ninguém do santuário nem qualquer peregrino para colocá-la em segurança. Olhei para os lados e vi que as pessoas do nosso grupo continuavam olhando fixamente para a imagem. As caras, contudo, eram de espanto.

Então, algo ainda mais incrível se passou: ela decolou e foi até o topo da árvore de velas. Tremeu bastante no ar e retornou para seu lugar na gruta.

Frei Juan Antonio quebrou o silêncio:

– *Madre de Dios!* Vocês viram o que eu vi?

– Sim, frei, é inacreditável! – respondi.

Imediatamente, todos os demais confirmaram o fenômeno.

Penso que essa foi a maior surpresa que Deus me preparou em um santuário mariano. Nunca imaginei que algo assim fosse possível. Tinha tanta convicção de que se tratava de algo absolutamente fora do padrão que nunca tive coragem de contar para o povo o que se passara naquela noite.

Aliás, ninguém do grupo falava daquela experiência com outras pessoas (claro que contamos ao Otto, já que sua esposa estava lá e havia presenciado o fenômeno). Quem teve a coragem de quebrar o silêncio pela primeira vez em público foi frei Juan Antonio.

Fiquei pasmo. A reação das pessoas que ouviram o relato também foi surpreendente. Todos se maravilharam e não contestaram a veracidade dos fatos, pois conheciam bem o frade agostiniano e sabiam que ele repudiava qualquer tipo de mentira.

No final, retornamos ao Brasil felizes com tudo o que havia se passado, e agora resolvi narrar a vocês essa bela experiência.

Visita dos anjos

Minha visita mais recente ao santuário de Lourdes foi em março de 2019, durante uma peregrinação que contou com 190 pessoas. Fui convidado a participar do enorme grupo na qualidade de palestrante (ou "pregador", para usar o jargão da Renovação Carismática Católica). Ficamos alojados em um hotel localizado a poucos metros da entrada do santuário mariano. Era inverno e a cidade estava muito vazia, dando a impressão de que apenas nós, os brasileiros, trazíamos vida ao lugar.

Eu logo me alegrei: o santuário estaria livre para nosso grupo. Um grande privilégio! Além disso, tínhamos tempo suficiente ali para que eu levasse o povo a uma Via-Sacra no belo bosque e conduzisse um terço exclusivamente para os peregrinos, e ainda para que nos banhássemos nas águas milagrosas. Não poderia ser mais perfeito.

Tínhamos acabado de chegar de Fátima, em Portugal (conto o que se passou por lá no capítulo seguinte), e logo as pessoas perceberam a grande diferença entre os dois santuários marianos. Como gosto de explicar, cada santuário tem sua própria força. O que se sente é diferente em cada um deles, mesmo porque Deus é tão especial que não se repete.

No primeiro dia, o grupo foi levado a uma enorme sala de reunião, para assistir a um filme sobre Santa Bernadette e a aparição da Virgem Maria, que se identificou como a Senhora do Rosário. Como eu e outras pessoas já tínhamos visto, fomos para a gruta famosa.

Para minha surpresa, vi o arcanjo Gabriel em pé sobre a gruta. Emanava dele uma forte luz azulada, em pleno dia. Sem que eu falasse qualquer coisa, algumas mulheres notaram a luz e ficaram admiradas. Queriam saber o que era e eu expliquei. Minha mãe, então, sugeriu que rezássemos um terço ali em frente.

Em silêncio, com o terço na mão, o grupo se posicionou diante da imagem da Virgem Maria. Na mesma hora, anjos começaram a descer dos céus, em diversas cores, e a reação das pessoas foi imediata:

– O que são essas luzes coloridas que estão passando pela gruta? – questionou uma das mulheres.

– Parecem bolas de luzes coloridas – acrescentou outra.

– São anjos que vieram sob o comando do arcanjo Gabriel, para interceder por nós – esclareci.

As mulheres se emocionaram. Começou um burburinho mais alto, pois elas resolveram narrar, umas para as outras, o que estavam vendo. Minha mãe pediu silêncio e concentração na oração. Então, elas se acalmaram. Expliquei que aquela era uma excelente oportunidade para fazer pedidos a Deus, já que o Reino dos Céus estava presente. Elas compreenderam e a oração se desenvolveu com intensidade.

No momento em que o grupo se dirigiu para as piscinas, percebi a grande agitação dos brasileiros. Disse-lhes que era necessário permanecer em silêncio o tempo todo em que estivéssemos na fila. De preferência, todos deveriam estar em oração. Não adiantou. Resultado: o pessoal que trabalha no santuário chamou a atenção do grupo várias vezes. Mesmo assim, sem perder o sorriso, os peregrinos não obedeceram.

Novamente, a fila de mulheres era bem maior do que a dos homens. Dessa vez, como nosso grupo era grande, esperei mais tempo para entrar. Isso acabou sendo bom, pois pude colocar em ordem todas as minhas intenções.

Quando chegou minha vez, eu estava muito mais tranquilo do que na última visita, pois já conhecia o procedimento. Pedi um pouco mais de tempo aos franceses para fazer meus pedidos a Nossa Senhora com uma oração pessoal um pouco mais longa. Eles concordaram. Depois, rezamos uma Ave-Maria. Avisei que estava pronto para o banho e eles me conduziram para dentro da água gelada. Ao final, aconteceu a mesma coisa que havia se passado comigo em 2009: meu corpo se secou enquanto eu me vestia. Eu estava muito alegre. Parecia que tinha deixado naquela piscina abençoada uma tonelada de problemas que ocupavam minha cabeça.

Uma relíquia da Virgem Maria

No dia seguinte, o chefe da peregrinação me avisou que o terço seria em um salão envidraçado do hotel, pois não obtivera permissão para fazer em uma das capelas do santuário. Na hora marcada, com o grupo todo sentado, eu me levantei com o terço de contas escuras na mão, de costas para uma janela enorme, que ocupava toda a parede que dava para a rua.

Logo que iniciei a oração, percebi que uma luz roxa muito brilhante tomou conta do recinto. Quando olhei para trás, pairando no alto, estava uma janela de luz, através da qual eu podia ver a Virgem Maria trajando uma túnica da mesma coloração.

Então, como sempre acontece durante as nossas reuniões de oração, a luz começou a se irradiar sobre cada pessoa que lá se encontrava. Eu podia vê-los com os cabelos, braços e roupas tomados pela mesma cor do manto de Maria, brilhando e absorvendo aquela luz. Quando esse fenômeno ocorre, a atmosfera muda por completo. A concentração e o silêncio tomam conta do grupo.

Uma hora e meia depois, ao final da oração, uma das mulheres, Patrícia, veio me mostrar seu terço. Era de contas de vidro, daquelas translúcidas.

– Que bonito! – exclamei. – Seu terço tem a mesma cor do manto com o qual Nossa Senhora compareceu hoje. Se eu acreditasse em coincidências, diria que se trata de uma bem interessante.

– Você não está entendendo – retrucou a mulher. – Essa não é a cor original do meu terço.

– Não?

– A cor dele era azul-claro. Ele não tinha nada de roxo!

– Quer dizer que seu terço absorveu a luz que estava sobre nós durante a oração.

– Essa era minha dúvida: a cor do manto de nossa Mãe era esta mesmo?

– Sim, exatamente essa.

– Por que Nossa Senhora fez isso? O que ela quer comigo?

– Isso eu não sei responder. Mas a nova coloração do seu terço é um presente.

– Que tipo de presente?

– Ela quer que você se lembre que, sempre que rezar o terço, ela estará ao seu lado.

O objeto religioso nunca mais voltou à sua coloração original. Assim, Patrícia ganhou uma relíquia das mãos da própria Virgem Maria. Certa vez, emprestou a um amigo internado em estado grave no CTI. O homem ficou com o terço e, no dia seguinte, já tinha saído de lá. Atualmente, está curado.

O gesto de fé de Patrícia lhe trouxe mais uma bênção sobre o mesmo terço, por intermédio de Nossa Senhora. Em outubro de 2019, em Porto Alegre, ela compareceu ao terço que recitei com o povo gaúcho. A mãe de Jesus veio vestida de azul. O mesmo fenômeno se deu: a luz da Virgem Maria desceu sobre todas as pessoas que lá estavam, entranhando-se em sua pele, cabelos, roupas e utensílios. Uma vez mais, o terço de Patrícia assumiu a coloração do manto de Maria Santíssima.

Em novembro de 2019, em Worcester, nos Estados Unidos, Patrícia me pediu que utilizasse o terço dela durante um retiro espiritual. Aceitei. Na realidade, outro amigo havia feito o mesmo pedido. Resultado: me vali dos dois terços durante aquela tarde de oração.

Quando comecei a recitar o terço, Maria Santíssima, que estava toda de branco, lançou sobre meu corpo uma luz violeta. No momento em que peguei nas mãos o terço de Patrícia, ele assumiu de imediato a mesma cor.

Poucos meses depois, em fevereiro de 2020, Patrícia foi a um terço em Franca (SP) com alguns amigos. Durante o evento, um deles, Bernardo, recebeu uma mensagem de São Jerônimo dizendo que a Virgem Maria desejava que ele pegasse o terço de Patrícia e o levasse a um homem, Otávio, que estava internado com câncer em São Paulo. Detalhe: Bernardo não conhecia o doente. Mas, curiosamente, ele era amigo de Patrícia.

Por que a Mãe de Deus não pediu diretamente a Patrícia para levar o terço ao doente? Afinal, além de proprietária do objeto, ela era amiga do enfermo. Foi a primeira coisa que me veio à mente quando me contaram a história. Mas fui o único a questionar a lógica da mensagem de São Jerônimo. Todos os demais envolvidos acolheram as palavras que eu mesmo tinha proclamado durante a reunião de oração em Franca, sem maiores questionamentos.

Sem conhecer Otávio, Bernardo tomou emprestado o terço de Patrícia e cumpriu a missão. O homem estava no CTI em estado crítico. Os dois rezaram juntos a oração mariana no hospital e, dias depois, Otávio teve alta e pôde ir para casa. Quando esse testemunho de fé chegou aos meus ouvidos, fiquei muito feliz e impressionado em ver como não existem barreiras para Maria Santíssima, nem mesmo as sociais. Também ficou óbvio para mim que o mundo espiritual não funciona segundo a lógica humana.

Enquanto escrevo este livro, o terço com o qual Patrícia exercita sua devoção mariana está roxo. Ele oscila entre azul, violeta e roxo. Na maior parte do tempo, permanece com um tom arroxeado. Não sei dizer se vai mudar para outra coloração, caso Patrícia participe de outra reunião de oração mariana. O importante é a lição que fica: Maria, a mãe do Salvador, está ao lado daqueles que, com fé, se dedicam à oração do terço (ou melhor, do rosário).

Pisando nas nuvens com os anjos

Muita gente acha que só se pode avistar anjos no bosque de Valinhos, em Fátima, e reconheço que tenho uma parcela de culpa por esse mal-entendido, pois escrevi muito a respeito da presença deles lá nos meus livros anteriores. Porém, na verdade, o Santuário de Lourdes é repleto de anjos.

Na peregrinação de março de 2019, algo muito bonito ocorreu durante a Via-Sacra que conduzi acima da basílica do Santuário de Lourdes, na colina onde fica o belíssimo bosque com as estações de bronze, que citei algumas páginas atrás.

Logo que a iniciamos, notei a presença de muitos anjos. Suas luzes chamaram minha atenção: eram verdes, azuis, vermelhas e brancas, e iluminavam o céu, que estava nublado e levemente chuvoso. A velocidade com que transitavam à nossa frente dava a impressão de que eram luzes de coloração variada, piscando em diversos pontos. Não comentei nada para não atrapalhar a concentração do grupo.

Poucos minutos depois, algumas pessoas perceberam que aquelas luzes que se acendiam no caminho não eram algo corriqueiro. Olhavam espantadas para o céu e para o bosque. Intrigadas com o que estava se passando, resolveram me perguntar, então lhes expliquei.

– Achei até que era algum tipo de óvni, já que a luz aparece num ponto do céu e logo em outro, e depois some – comentou um dos homens do grupo, falando baixo ao meu lado.

– Sim – respondi. – Eles se movimentam em uma velocidade estupenda. Diria que atingem a velocidade da luz ou mais. Mas é a forma como nossos olhos percebem a luz que eles emanam. Não somos capazes de acompanhar uma movimentação assim. Veríamos com mais detalhes se eles ficassem mais estáticos.

– Por que não param e nos deixam olhar com calma?

– Não sei. Creio que já estamos no lucro se conseguimos vê-los.

No fundo, eu não esperava que os anjos se fizessem visíveis aos olhos daquelas pessoas em plena luz do dia. Não foram todos no grupo que conseguiram enxergar sua presença, porém o número de peregrinos que conseguiram de alguma forma era considerável.

A manhã surpreendente, no entanto, ainda não acabara. Os anjos de luz azul começaram a iluminar as pedras no caminho que estávamos por percorrer, formando uma espécie de almofadões. Quando pisei naquela trilha azul, senti como se estivesse de fato andando sobre um chão acolchoado.

Nunca tinha experimentado aquilo. Era muito real. Meus tênis afundavam e eu sentia aquela maciez, que ultrapassava o tecido do calçado e atingia em cheio meus pés. Parecia que eu estava andando nas nuvens. Não pude evitar o sorriso nos lábios. Outra vez, me mantive em silêncio, pois o pessoal já estava alvoroçado por conta do espetáculo das luzes no bosque.

Não demorou muito e uma das mulheres do grupo veio me dizer que estivera olhando tanto tempo para os anjos azuis que tinha a impressão de que o chão continha aquela mesma luz e que seus passos estavam mais suaves.

– Não se trata de impressão. O que você está sentindo é real – tratei de explicar.

– Não é possível! Não tenho dom de ver nada – retrucou ela, assustada.

– Parece que hoje os seres angélicos resolveram ignorar a questão dos dons. Estão mostrando a vocês que o mundo espiritual é real e palpável.

– Eu posso sentir meus pés tocando algo macio, amortecendo a minha pisada.

– Sinto a mesma coisa. São os almofadões azuis que eles colocaram no caminho.

– Qual o significado disso?

– Não sei.

Ao peregrinar com um grupo numeroso, notei que as pessoas esperam que eu tenha todas as respostas. Infelizmente, apenas sei aquilo que o mundo espiritual me deixa conhecer. Se os anjos me dão alguma explicação, posso repassá-la às pessoas. Do contrário, sou um admirador desses acontecimentos, como todos os demais.

Enfim, foi uma peregrinação cheia de fenômenos místicos. Penso que Deus queria que aquelas pessoas tivessem um contato maior com as coisas do Céu, para que sua fé fosse fortalecida e elas pudessem dar um testemunho mais forte quando voltassem para suas comunidades. Sem dúvida, quando uma pessoa que não tem dons místicos consegue ver e/ou ouvir algo relacionado aos anjos ou aos santos que estão na glória de Deus, a experiência causa grande impacto sobre sua caminhada espiritual.

Fátima

Estive em Fátima pela primeira vez em 2007. Àquela altura, já tinha visitado os santuários marianos do Brasil – como Aparecida do Norte (SP) e Nossa Senhora de Nazaré, em Belém, no Pará – e, na Europa, já conhecia Lourdes, a Medalha Milagrosa de Paris e Medjugorje. Na minha cabeça, não havia necessidade de conhecer, naquela época, mais um. No entanto, minha avó materna me disse:

– O santuário mariano que eu visitei e de que mais gostei em toda a minha vida foi o de Fátima. A presença da Virgem lá é algo muito diferente de tudo o que experimentei. Agora que estou mais limitada nos meus movimentos, fica muito difícil pegar um avião e passar uns dias por lá. Uma pena. No meu coração, ainda há algumas intenções que eu gostaria de apresentar para Nossa Senhora de Fátima. Então, eu tive uma ideia.

– Qual, vó?

– Dar a você, de presente de aniversário, uma viagem para Fátima. O que você acha de passar uma semana entre Lisboa e Fátima?

Minha alegria foi enorme. Claro que topei. Não conhecia Portugal e achei que aquela seria uma excelente oportunidade. Foi assim que eu e minha esposa embarcamos para Lisboa. Chegando lá, pegamos um ônibus que nos levava diretamente a Fátima. Nós nos hospedamos bem perto do famoso santuário.

Bosque de Valinhos

Na primeira vez em que pisei no santuário, me decepcionei. Não senti o tão esperado impacto espiritual de que as pessoas tanto me falaram. Para piorar, fui informado de que os portugueses haviam cortado a azinheira (uma árvore típica da região) sobre a qual a Virgem Maria tinha aparecido aos pastorinhos.

Ao voltar do santuário para o hotel, fui até a pequena varanda do quarto e percebi uma forte luz esverdeada que vinha da minha esquerda, ao longe. Comentei o fato com minha esposa. Eu precisava ir até aquele lugar. Descemos para a recepção e nos informaram que poderíamos pegar um trenzinho que passava ao lado do hotel ou ir caminhando até a localidade: o bosque de Valinhos. Lá perto, nos disse a recepcionista, encontrava-se a casa onde vivera a irmã Lúcia, aberta a visitações. No bosque, havia o Calvário Húngaro, uma bela construção que retratava a crucificação de Jesus ao final da Via-Sacra, cujas estações estavam espalhadas pela área verde.

Quando chegamos lá, visitamos as casas dos pastorinhos. Tentamos em vão encontrar o início da Via-Sacra no bosque. O povoado estava bastante vazio e começamos a andar à procura de ajuda. Foi então que nos deparamos com uma criança chamada Tânia: uma bela menina de cabelos lisos, castanho-claros, que devia ter algo em torno de 7 anos. Estava sozinha na rua e nos perguntou aonde queríamos ir. Explicamos a ela.

Com muita simpatia e tranquilidade, a pequena portuguesa nos ensinou tudo o que desejávamos saber a respeito do bosque e da Via-Sacra. Parecia um anjo enviado do Céu. Ao final, fomos a uma lojinha lá perto e dissemos a Tânia que poderia escolher um presente. Com um sorriso radiante, ela apontou uma boneca. Depois disso, seguimos nosso caminho. Curiosamente, apesar de ter voltado lá algumas vezes no decorrer dos anos, nunca mais encontrei Tânia.

Visitar o bosque de Valinhos foi uma experiência maravilhosa. Ali, sim, senti como se o Reino dos Céus estivesse tocando a terra. Era muito diferente de tudo o que eu havia experimentado. O colorido das luzes emanadas pelos anjos é magnífico, especialmente na área chamada de Loca do Cabeço, onde o Anjo de Portugal apareceu aos pastorinhos e lhes ensinou algumas orações. A paz que se sente ao fazer a Via-Sacra no bosque é imensa.

Apesar de termos ficado em Fátima apenas dois dias (muito pouco para quem gosta de rezar), foi suficiente para que eu me apaixonasse pelo lugar. Mas precisava investigar melhor aquele bosque poderoso, ficar lá mais tempo.

A segunda visita a Fátima

No ano seguinte, eu e minha esposa marcamos um encontro na cidade com o frei Juan Antonio, já que sua cidade natal, na Espanha – onde ele passa férias todos os anos com a família –, é muito perto. Fizemos um belo retiro espiritual com o frade. Foi nesse ano que, na estrada de terra batida em direção ao bosque de Valinhos, a Virgem Maria me apareceu no céu azul, toda de azul-claro, e disse que eu deveria escrever livros sobre minhas experiências místicas. Esse foi um episódio que marcou minha vida e que contei com mais detalhes no livro *Você pode falar com Deus*.

No dia seguinte a essa visão, meu anjo da guarda me apareceu praticamente no mesmo lugar, já próximo à entrada da Via-Sacra. Ele tinha uma pilha enorme de livros ao seu redor e disse que esperava uma boa produção da minha parte. Imaginem: naquela época eu havia publicado apenas um livro, da área do Direito, baseado na minha dissertação de mestrado. Fiquei na dúvida se deveria ou não aceitar aquela nova empreitada no campo da espiritualidade. Demorei até 2011 para escrever meu primeiro livro sobre o tema.

Como não desejo repetir as numerosas histórias que já contei sobre Fátima, vou me concentrar na experiência que tive com o enorme grupo de peregrinos (190 pessoas, como já contei nos capítulos anteriores) em março de 2019.

Durante o voo para Portugal, peguei uma virose que atacou minha garganta. Tive febre e me sentia um tanto debilitado para as atividades previstas. O trajeto da peregrinação se iniciava em Fátima, e eu deveria conduzir um santo terço para o grupo, no salão do hotel, logo no primeiro dia após nossa chegada.

Chamei meu anjo da guarda logo que acordei e disse a ele que eu precisava de mais força do que o habitual, pois meu corpo e minha mente não estavam em boas condições. Ismael, inicialmente, se postou na minha frente em silêncio. Como ele não falava nada, decidi fazer uma breve oração, pedindo a Deus que me enviasse uma porção dobrada do Espírito Santo, porque o terço com o povo sempre consumiu bastante da minha energia diária.

Uma ajuda de Santo Antônio de Pádua

Da janela do meu quarto, eu podia ver o Santuário de Fátima. Olhando para a torre da igreja, onde está o campanário, pedi a Nossa Senhora que me socorresse, pois não queria cancelar o primeiro encontro com os peregrinos.

Foi quando uma forte luz azul, pouco mais escura do que o céu, saiu do relógio que se encontra acima do maior sino do campanário, penetrou a janela do meu quarto como um raio e atingiu o chão. Nesse momento, fiquei frente a frente com Santo Antônio de Pádua.

Como sempre tranquilo e com um olhar amoroso, ele me disse:

– Sei da sua preocupação com o terço. Vejo que você está debilitado. Estarei ao seu lado e vou ajudá-lo. Tudo sairá bem.

– Você acha que minha voz vai sustentar o terço todo? Talvez seja melhor que eu não cante as músicas e faça algo mais rápido.

– Não. Confie no que estou lhe dizendo: você conseguirá fazer o terço como no Brasil, quando está com saúde. O povo vai se sentir bem e em paz. Cumpra sua missão.

Assim o fiz. Durante a missa, os anjos tomaram conta do salão. Então, assim que iniciei o terço, eles já estavam presentes no local. As luzes enormes e variadas se movimentavam de um lado para outro, deixando-me mais confiante. Sem notar a presença deles, o povo falava animado. Tive que pedir silêncio para a oração.

Aquela presença magnífica dos seres angélicos já valia o terço. Eles lançavam suas luzes sobre todos nós. Ayel, um dos meus anjos ministeriais, que me acompanham durante as orações, parou na minha frente e estendeu a mão direita, de onde saiu uma luz azul-clara, bem gelada, que atingiu meu pescoço e anestesiou minha garganta. Eu agradeci.

Santo Antônio estava quieto num dos cantos do salão, ao fundo, com um sorriso dócil. Eu sorri de volta e agradeci mentalmente sua presença. Eu estava em excelente companhia. Coloquei o violão a postos e iniciei a oração. As pessoas logo entraram em conexão com o mundo espiritual e, durante o tempo todo, só se podia ouvir a minha voz.

Ao fim, depois de uma hora e vinte, percebi a alegria no rosto de todos. Estavam serenos, com o semblante iluminado. Os peregrinos que vieram falar comigo se achavam em estado de graça. Sentiram a presença dos anjos e da

Virgem Maria. Disse a eles que deveriam ir ao santuário sem falta para fazer seus pedidos e agradecimentos.

Via-Sacra com São Bento

No dia seguinte, tivemos um dos momentos mais esperados pelos peregrinos. Todos eles tinham lido meus livros, onde conto alguns fatos místicos ocorridos comigo no bosque de Valinhos. Era natural que estivessem loucos para pisar no tal bosque junto comigo, para fazermos a Via-Sacra.

Ainda durante o café da manhã no hotel, minha mesa foi cercada por alguns peregrinos, que logo me questionaram: durante nossa oração, mesmo aqueles que não têm dons místicos podem presenciar algum fenômeno com os próprios olhos?

Como já comentei, eu tinha a mesma curiosidade e precisava fazer o teste. Uma hora depois, eu estava na porta do hotel, cercado por mais ou menos 150 peregrinos, cheio de microfones pendurados no pescoço e acompanhado pelo som do Tiago, o violonista oficial da nossa peregrinação. Os guias, empunhando bandeiras para que ninguém se perdesse no trajeto, organizaram as pessoas como se fossem um grande rebanho.

Depois de alguns bons minutos e várias músicas cantadas em alto volume pelos peregrinos, estávamos diante da primeira estação da Via-Sacra. Todo de preto, em seu hábito monástico característico, descalço e de barba branca comprida, São Bento estava à minha espera. Eu precisava mesmo de um santo poderoso para me ajudar a fazer a meditação das estações e transmitir mensagens a um grupo tão numeroso.

Antes de anunciar a presença de São Bento, fiquei em silêncio esperando que o grupo todo se acomodasse o mais perto possível da pequena casinha onde está representada a estação. Enquanto chegavam os mais vagarosos, uma senhora chamada Maria, um pouco assustada, me perguntou:

– Esse lugar é mesmo de Deus? Desculpe a minha pergunta. O santuário, lá atrás, eu tenho certeza de que é. Lá, me sinto muito bem. Mas aqui... não sei.

– Por que está me perguntando isso? Aconteceu algo que tenha chamado sua atenção negativamente?

– Não queria comentar nada, mas já vi duas vezes uma coisa muito estranha enquanto estamos aqui esperando o resto do grupo chegar.

– Você poderia me dizer o que exatamente aconteceu?

– Pedro, eu vi duas vezes um vulto negro passar aí ao seu lado – respondeu ela em voz baixa, arregalando os olhos, preocupada que os outros pudessem estar ouvindo. – Deus me livre! Olha que eu nunca vejo essas coisas. Parecia um homem, mas eu vi tudo meio borrado e, ao mesmo tempo, transparente. Só consegui identificar que era um vulto negro. Não sei se você está me entendendo.

– O vulto negro que você viu era um pouco mais baixo do que eu e estava aqui? – Apontei para meu lado direito.

– Isso! Então você viu também, né? Precisa tomar alguma providência. Acho melhor você pedir aos padres que estão no nosso grupo para fazerem algum exorcismo.

Sabe, na minha cidade, o pessoal sempre diz que vulto negro significa a presença do demônio ou de algum espírito maligno. Você não sabia disso?

– Não vai ser preciso exorcismo – falei, abrindo um sorriso. – Já vou explicar o que está se passando, e você vai ficar bem mais tranquila. Ouça o que tenho a dizer ao povo.

Quando notei que o grupo estava finalmente reunido dentro do bosque, subi numa mureta de pedra em frente à primeira estação da Via-Sacra e liguei os microfones (o emaranhado de fios parecia uma grande coleção de colares). Então, anunciei a presença de São Bento. Maria, que estava bem perto da mureta, corou de vergonha. Colocou as mãos no rosto e balançou a cabeça.

Tão logo terminei de fazer a meditação da primeira estação e nos colocamos em marcha rumo à segunda, me aproximei de Maria e, com jeito, perguntei a ela se havia entendido quem era o vulto. Constrangida, ela confirmou com um aceno da cabeça. Naquele mesmo dia, horas depois, durante nosso almoço, ela veio à minha mesa.

– Que vergonha eu passei hoje! Tenho que me desculpar com você.

– Não precisa se desculpar e não acho que sua interpretação do vulto negro tenha sido vergonhosa. O mundo espiritual é complicado.

– Depois de um tempo caminhando pelo bosque e rezando com o grupo, me dei conta de que, pela primeira vez na vida, havia visto São Bento. Fiquei eufórica! Já liguei até para minha irmã, para contar. Ela ficou triste por não estar aqui comigo, pois queria ver o santo também.

– Sem dúvida ver São Bento é motivo de alegria. Fico feliz em saber que você teve esta graça hoje.

Outra mulher do grupo também teve um momento especial com a presença do santo italiano. Beatriz não estava familiarizada com meu trabalho missionário. Não conhecia a minha forma de evangelizar. Estava naquele grupo de peregrinos porque gostava de rezar e era amiga de uma das sócias da empresa de turismo encarregada da nossa viagem.

Ela tinha dúvidas a respeito dos meus dons místicos e, durante o caminho do hotel até o bosque de Valinhos, vinha rezando para seu santo de devoção, São Bento, para que lhe desse um sinal a respeito do tal Pedro Siqueira, algo que tocasse seu coração e lhe desse a certeza de que estar em oração com aquele sujeito carioca era uma boa coisa para sua vida.

Durante a oração, não reparei onde estava Beatriz. Era muita gente. Mas, em fevereiro de 2020, em viagem com minha família, me encontrei com ela em um aeroporto. Simpática como sempre, veio conversar a respeito da peregrinação que havíamos feito no ano anterior. Em dado momento, ela me contou a dúvida que, naquele dia da Via-Sacra de Fátima, tinha se dissipado.

– Só falta você dizer que São Bento apareceu para você – respondi.

– Não apareceu, infelizmente. Mas bem no momento em que pedi um sinal, você anunciou a presença dele. Meu coração disparou. Fiquei impressionada. O santo tinha me respondido de forma bastante clara: ele estava ali, apoiando você na Via-Sacra.

É sempre muito gratificante perceber como a presença de um santo durante uma oração é motivo de tanta alegria para o povo. Os olhos das pessoas que estavam ali rezando brilhavam. Por alguns segundos, cheguei a questionar se o grupo se manteria feliz e bem-disposto durante todo o percurso. Afinal, ainda tínhamos muito chão e várias horas de caminhada pela frente. Pensei que talvez aquela Via-Sacra não tivesse sido uma boa ideia.

Queimando as amarras

Quem me trouxe de volta à realidade foi o arcanjo Uriel. Ele estava em cima de uma das árvores próximas à segunda estação, para onde eu caminhava.

– Se você, que está conduzindo a oração, não se concentrar, eles não vão conseguir extrair o melhor desse exercício espiritual. Note como estão dispersos. Você não deve se preocupar com a felicidade momentânea deles. Concentre-se em fazer seu papel da melhor forma possível. O resto pertence a Deus.

Uriel seguiu no alto das árvores, enquanto São Bento caminhava no chão ao meu lado. Ao atingirmos a quarta estação, o arcanjo começou a lançar sobre o grupo uma luz esverdeada mais densa.

– Uriel, o que está fazendo com eles?

– Eles trazem amarras na vida. Estou lançando uma luz que as está queimando.

– De onde vêm essas amarras?

– Do modo como interpretaram suas experiências. São pensamentos e sentimentos que os limitam e fazem com que sofram mais. Trazem isso tudo há muito tempo dentro deles. Precisam se libertar.

– Por que fazer isso aqui e agora?

– Porque a Via-Sacra é uma devoção propícia à libertação.

O dia estava belíssimo, mas o povo, muito empolgado, não mantinha a concentração. Isso me atrapalhou. Não esperava toda aquela bagunça e falatório. De qualquer forma, eu tinha consciência de que, se não desse o exemplo me concentrando, iria perder o controle.

Na altura da quinta estação, várias pessoas do grupo falavam sem parar. Algumas delas me bombardeavam insistentemente com a mesma pergunta: "Pedro, qual o nome do meu anjo da guarda?"

Querendo agradar àquelas pessoas, eu perguntava aos seres angélicos que estavam mais próximos de cada uma delas que nome tinham. Os anjos que nos acompanhavam desde o início da primeira estação passavam por mim como relâmpagos. Os diversos nomes angélicos não paravam de pipocar na minha cabeça. Assim, eu distribuía nomes de anjos para aquelas pessoas. Provavelmente me equivoquei em alguns deles, trocando.

Neste ponto, fui interrompido por Ismael:

– O que você pensa que está fazendo?

– Dando os nomes dos anjos, para que essas pessoas sosseguem e se concentrem na Via-Sacra.

– Segundo sua avaliação, a estratégia está funcionando?

– Não – reconheci, baixando a cabeça.

– No meio dessa confusão, você acha que está tendo a precisão necessária? Sua mente e seus olhos são aguçados a ponto de capturar o nome de cada anjo e ter a certeza de que tal ser angélico é o protetor de determinada pessoa? Diante do olhar severo do meu anjo da guarda, a resposta era óbvia. Certamente a minha atuação até aquele momento não o estava agradando.

– Pelo visto, não – respondi.

– Você acha que está favorecendo o crescimento espiritual desse povo dizendo qual o nome do anjo da guarda de cada um deles?

– Não sei. Mas deveria servir para isso, não?

– Vocês, humanos, têm um ditado que se aplica ao caso: melhor ensinar uma pessoa a pescar do que lhe dar um peixe para comer.

– Você está certo, eu tenho dado tudo muito mastigado a eles. Desse jeito, não vão se esforçar o suficiente. Percebo mesmo essa preguiça espiritual crescente no povo. Se eu facilitar demais as coisas, não haverá progresso.

– Espero que, em vez de dizer nomes de anjos, você faça com que eles mergulhem no mistério do sacrifício de Jesus e ganhem as graças que vieram aqui buscar. Do contrário, sairão com nomes angélicos no bolso, mas voltarão para casa de mãos vazias.

Ismael encerrou a questão.

Precisei chamar a atenção das pessoas várias vezes. Aquela Via-Sacra estava virando um verdadeiro pesadelo. Para piorar, um enorme grupo português (cerca de oitenta pessoas) vinha logo atrás de nós fazendo o mesmo exercício espiritual. Quando o nosso grupo atingiu a sétima estação, o guia do grupo português veio falar comigo. Pediu que eu impusesse alguma ordem ali, para que os brasileiros respeitassem a oração, pois estavam atrapalhando. Ele tinha toda a razão e eu pedi desculpas. Precisei ser mais incisivo com os peregrinos. As coisas, então, se acalmaram um pouco. Parecia mesmo que minha ideia de levar tanta gente ao bosque de Valinhos havia sido um erro.

O milagre do sol

O auge do tumulto brasileiro se deu por volta de meio-dia, quando chegamos ao local onde se encontra a imagem mais perfeita que conheço da Virgem Maria, comemorativa de sua quarta aparição em 19 de agosto de 1917. É uma estátua esculpida pela artista portuguesa Amélia Carvalheira.

Durante as outras vezes em que lá estive, rezando com algumas pessoas, havia ocorrido o milagre do sol. Quando ele se inicia, o sol diminui sua luminosidade, ficando extremamente fácil observá-lo a olho nu. Assim, não há perigo em contemplar sua dança e mudança de forma.

Porém, quando percebi que alguns tentavam olhar para o sol, fiquei preocupado, pois o fenômeno não é visível a todos. Numa situação normal, o astro não deve ser encarado diretamente sem algum tipo de proteção para os olhos. Aliás, usando óculos de grau o potencial risco é maior ainda.

De nada adiantou explicar tudo isso às pessoas. Então, vendo Ismael próximo do enorme nicho onde está a estátua, desisti de falar qualquer coisa e fui ficar ao seu lado. De fato estava havendo o milagre do sol agora, provocando uma histeria coletiva, mas nem todos conseguiam vê-lo. Pelo menos, para meu consolo, percebi que algo em torno de 70% do grupo podia enxergá-lo com tranquilidade.

Um número menor, algo em torno de 50%, podia ver os anjos que transitavam no lugar, aparecendo como luzes coloridas de diversos tamanhos, que desciam do céu ou se moviam velozmente. Uma das mulheres até me perguntou se aquilo não era um esquadrão de óvnis.

Voltando-me para os olhos de luz verde do meu anjo, resolvi perguntar:

– Ismael, você acha que esse espetáculo todo vai servir para aumentar a fé dessa gente? Você acha que eles vão se tornar criaturas mais espiritualizadas depois de terem visto com os próprios olhos essa pequena parcela do mundo espiritual?

– Para alguns deles, isso terá um bom efeito. Para os demais, será algo que ficará na memória, mas não mudará a forma como dão atenção à espiritualidade.

– Que pena... – comentei, um tanto desanimado, assistindo à cena.

Quem interrompeu meu diálogo com Ismael foi uma das senhoras do grupo, Teresinha:

– Pedro, li nos seus livros que seu anjo é verde. É isso mesmo?

– Sim, ele irradia uma luz predominantemente esverdeada, translúcida, muito intensa.

– Então acho que consegui fotografá-lo. Posso mostrar?

Ela devia estar equivocada. Durante todo o tempo em que eu estivera ali, o anjo estava ao meu lado, calado e sisudo. Não acreditava que ele pudesse se deixar fotografar. Famoso por causa de meus livros e terços, Ismael não gostava de aparecer a quem quer que fosse.

Ela me mostrou a tela do celular. Focada no lugar onde eu estava, a foto mostrava uma grande luz esverdeada ovalada um pouco atrás de mim. Na hora, reconheci a luz que me era tão familiar.

– Normalmente ele aparece envolto por essa luz aí que está na foto.

– Meu Deus! Que honra. Posso mostrar a foto para as outras pessoas?

– Claro. A foto é sua. Não tem problema.

Teresinha mostrou a foto para poucas pessoas, mas a notícia foi se espalhando em alta velocidade pelo grupo. Incomodada, ela decidiu não mostrar a mais ninguém. As pessoas me pediram que a convencesse a enviar a foto para o grupo de WhatsApp dos peregrinos. Expliquei que não iria interferir na vontade dela. Assim, morreu o assunto (ao menos para mim).

Com muita dificuldade, os guias do grupo conseguiram colocar os peregrinos novamente na rota da Via-Sacra. Após a nona estação, passamos pela Loca do Cabeço. Aproveitei para fazer uma oração especial aos nove coros angélicos. Àquela altura, o povo já estava calmo e concentrado. Dali até o fim da Via-Sacra, o comportamento deles foi completamente diferente. Acho que os anjos me socorreram e acalmaram os ânimos daquela gente!

Os anjos ministeriais e o anjo da guarda da família

Não há reunião de oração em que meus anjos ministeriais não venham me apoiar. Um deles, Ayel, esteve o tempo todo me auxiliando. Aliás, me chamou a atenção a presença de anjos ministeriais que estavam lá por causa de integrantes do grupo.

Meus leitores sabem que esses anjos se fazem presentes na vida dos que têm missões espirituais relevantes neste mundo. Mas eles não atuam só na vida dessas pessoas.

Tenho uma amiga médica, católica e de muita oração, Aline, que um dia me enviou uma mensagem pedindo que eu a ajudasse a interpretar um sonho muito vívido. Ela tinha sonhado que estava na cozinha, diante de um ser angélico muito alto, e que, ao caminhar para a sala, se deparou com outro anjo, de baixa estatura. Aline sabia que ambos estavam em sua casa porque tinham alguma relação com ela. Mas, sem saber o que era, questionou se uma pessoa podia ter dois anjos da guarda. Respondi que não e perguntei a Ismael o que significava a visão dela. Telepaticamente, meu anjo da guarda me disse:

– O ser angélico alto é o anjo da guarda dela. O menor é seu anjo ministerial, que a ajuda no exercício da medicina.

Já vi anjos ministeriais ao lado de médicos, advogados e policiais. Tudo depende da missão que a pessoa vai desenvolver e de sua fé. Eles não permanecem a vida inteira ao lado, como acontece com o anjo da guarda, mas apenas durante o tempo de preparação e execução da missão. Por vezes, aparecem ao lado de adolescentes. Quando falo disso aos pais, eles me olham com descrédito. Como um jovem pode ter relevância para o mundo espiritual a ponto de serem acompanhados por um anjo desses? Eles se esquecem de que os jovens serão homens e mulheres atuantes no mundo, com uma família própria e uma profissão. Não levam em conta que os filhos estão em formação, sendo, portanto, preparados para uma tarefa futura. Deus pode lhes enviar um anjo ministerial para auxiliá-los desde logo, para tirarem o máximo de proveito desse momento.

No meio daquele grupo numeroso no bosque de Valinhos, recebi uma grande quantidade de nomes de seres angélicos. Alguns eram anjos da guarda e outros, ministeriais. Entretanto, ocorreu um caso inédito comigo.

Um rapaz, recém-separado da esposa, me perguntou se havia algum anjo ao seu lado. Respondi que sim. Ele quis saber o nome. Assim que lhe falei, ele disse que esse não era o nome de seu anjo da guarda. Como estávamos no meio da Via-Sacra, não lhe dei explicações e prossegui.

No dia seguinte, ao final do almoço do grupo, o rapaz me procurou novamente. Disse que estava confuso, pois eu lhe dera um nome diferente do que ele usava para chamar seu anjo. Indagou se estava errado.

– Não. Ismael está aqui e me disse que você chama seu anjo da guarda pelo nome correto.

– Então que nome é esse que você me deu?

– Meu anjo está me dizendo que você teve um casamento religioso. É verdade?

– Sim, mas descobri, com pouco tempo de casado, que minha esposa me traía. Acabamos nos separando.

– Você chegou a fazer a anulação do casamento?

– Não.

– O anjo que apareceu ao seu lado é o anjo da guarda da família, que você e sua ex-esposa receberam no momento em que celebraram o matrimônio na igreja.

– Não sabia que tinha ganhado um anjo assim – comentou ele, surpreso.

– Todo mundo que celebra um matrimônio religioso recebe uma criatura assim para ajudar a cuidar da família que acaba de se formar.

– Entendi. Mas o que ele está fazendo aqui? Já me separei dela...

– Ele quer que você entenda o peso espiritual da união, com o juramento feito perante Deus. Você dissolveu a união civil, mas o laço religioso continua a ter efeitos espirituais sobre sua vida. Você precisa resolver isso. Ou se reconcilia com ela e volta ao matrimônio, ou o anula em um tribunal canônico. Não sou especialista em direito canônico, mas talvez você tenha chance de sucesso em uma causa assim.

– O que esse anjo da família quer que eu faça? Não tenho condições de voltar a viver com ela.

– Sinto muito, mas não sei responder. O que posso dizer é que, como católico, você precisa chegar a uma solução. Até mesmo para o caso de encontrar uma mulher que o faça feliz e decidir se casar com ela, vivendo plenamente sua fé.

Não faço ideia se o rapaz acreditou no que eu disse. Também não sei se tomou alguma providência a respeito da questão. Alguns meses após o ocorrido no bosque de Valinhos, encontrei-o em uma tarde de autógrafos e ele me parecia mais feliz.

Em alguns eventos de autógrafos mais recentes, tenho visto alguns desses anjos que tomam conta das famílias ao lado de seus protegidos. Quando me aparecem, estão aflitos. Tenho a impressão de que essas famílias estão enfrentando sérias dificuldades, sejam elas na área financeira, profissional, espiritual, afetiva... Uma das coisas que essas criaturas pedem é que haja oração nos lares, que a casa também seja um lugar de espiritualidade. Além disso, normalmente pedem que marido e mulher aprendam a ser menos egoístas, doando-se uns aos outros, servindo à família e não aos seus caprichos pessoais.

Enfim, a experiência em Fátima foi bastante intensa. Apesar dos percalços e de alguns pontos negativos, penso em retornar com outro grupo numeroso de peregrinos, devido à minha paixão pelo santuário e pelo bosque de Valinhos. Já tendo passado por essa primeira experiência, sei o que precisa ser melhorado.

Terra Santa

m agosto de 2019 fui pela primeira vez à Terra Santa. Nunca havia viajado com um grupo tão grande: duzentas pessoas. A empresa de turismo religioso encarregada da peregrinação convidou alguns sacerdotes, para que pudéssemos ter missas diárias e uma direção espiritual. Eu fui chamado para fazer palestras e orações – em especial, o terço.

O percurso até lá foi longo. Pegamos um voo do Rio de Janeiro até Tel Aviv, em Israel, com escala em Frankfurt, na Alemanha. No total, foram 16 horas de viagem. Quando pousamos em Tel Aviv, já passava das onze da noite. Ainda havia chão a percorrer, pois o roteiro da peregrinação previa que começássemos por Jerusalém, que fica a cerca de uma hora e meia de ônibus de lá. Resultado: o grupo chegou exausto ao hotel, às duas da madrugada.

Na manhã seguinte, por volta das oito e meia, iniciamos nossa caminhada em Jerusalém. Era verão, mas não fazia o calor brutal que eu esperava. A cidade fica em um planalto, nas montanhas da Judeia, numa elevação de aproximadamente 760 metros, entre o mar Mediterrâneo e o mar Morto. É muito bonita e, ao contrário do que costumamos ver nos noticiários, se mostrou bem pacífica. As pessoas de diferentes religiões, árabes e judeus, que ali residem pareciam conviver em harmonia. Não vi tumulto, roubos, saques ou furtos. Era um lugar seguro para se caminhar, inclusive à noite. Tudo muito belo: a muralha, os prédios construídos com pedras claras, a proporção entre eles e o gabarito respeitado, a ordem.

Monte das Oliveiras

Nosso primeiro destino foi o monte das Oliveiras. Pela manhã, os ônibus pararam no pé do monte, onde havia uma pequena arquibancada de pedra de frente para a cidade antiga. Fizemos ali um breve louvor, cantando algumas músicas com os sacerdotes, que em seguida oraram e deram uma bênção para todos. Marcos, chefe do nosso grupo, organizou um rápido brinde para celebrar o início oficial da peregrinação.

Algumas pessoas que peregrinavam comigo pela primeira vez estavam muito agitadas, tirando fotos e falando sem parar. Em determinado momento, no entanto, foram se acalmando e eu pude observar melhor a vista panorâmica da cidade antiga, além dos muros de Jerusalém.

O céu estava muito azul, sem nuvens e, de uma grande cúpula dourada no alto de um monte, vi subir em direção ao céu uma abóbada de luz dourada. Eu não sabia que lugar era aquele e perguntei a uma das guias, uma moça judia.

Ela sorriu e me explicou:

– É o monte do Templo, um lugar sagrado para judeus e muçulmanos, mas não para vocês, católicos.

– Vejo que é um lugar especial, com uma luz diferente.

– Quer dizer que você consegue ver algo especial ali? – indagou ela, surpresa.

– Sim. Tem uma força intensa. Posso ver, com clareza, a luz que emana de lá.

Infelizmente, por falta de tempo e por não ter relação direta com a fé católica, não fomos visitar o monte do Templo.

Antes de voltarmos aos ônibus, Marcos nos deu uma breve explicação sobre a organização da nossa peregrinação na Terra Santa. Depois, rumamos para a Igreja do Pai-Nosso, mais acima do monte das Oliveiras. Trata-se do local onde Jesus teria ensinado a oração do Pai-Nosso aos apóstolos.

Encontro com o arcanjo Gabriel na gruta

Entramos no complexo religioso onde se encontra a igreja e ficamos concentrados num pátio grande do lado de fora dela, onde há um pequeno jardim. Como éramos muitos, Marcos nos dividiu em quatro grupos, cada um com seu guia. Antes da entrada principal da igreja, havia uma bonita gruta natural de pedra.

Enquanto a guia falava, notei que uma forte luz azulada saía da gruta. Discretamente, fui até Marcos e comentei o fato. Como as guias tinham terminado de dar as explicações devidas, ele me disse:

– Se você quiser entrar na gruta, não tem problema. Dá tempo. Dizem que foi justo ali que Jesus ensinou aos apóstolos a oração do Pai-Nosso.

– Acredito que tenha sido, porque o lugar tem uma luz muito forte. Preciso entrar.

Alguns peregrinos do grupo ouviram nossa conversa e resolveram me acompanhar. Marcos também se juntou a nós.

Quando cheguei, dei de cara com o arcanjo Gabriel, todo vestido de azul. Ele estava sentado na outra extremidade. A luz azulada emanava dele, mais precisamente de suas vestes, de seu rosto e de suas mãos. De imediato, ele me disse:

– Faça comigo uma oração para a libertação emocional e psíquica dessas pessoas que estão com você. Venha para cá. Fique em pé ao meu lado. – Ele apontou o local onde eu deveria me posicionar.

Antes que eu pudesse explicar às pessoas o que estava acontecendo, algumas delas já choravam de emoção. Depois, me esclareceram que, quando pisaram na gruta, sentiram a atmosfera mudar. Algumas sentiram um odor de rosas ou um aroma genérico de flores. Ninguém sabia explicar com precisão de onde vinha o cheiro agradável.

Não vi rosas nem outras flores dentro da gruta. Tinha certeza de que era o arcanjo Gabriel que exalava esse odor. Antes que eu desse essa explicação, Marcos afirmou que se tratava de um fenômeno espiritual e pediu que as pessoas observassem bem o interior, pois ali não havia qualquer tipo de flor, planta ou dispositivo que pudesse exalar algum perfume.

Éramos cerca de vinte pessoas reunidas na gruta. Pedi silêncio para rezar. Eu estava sobre uma pedra enorme, de modo que todos podiam me ver. Durante a oração sugerida pelo arcanjo, a luz azul ficou ainda mais intensa, a ponto de algumas pessoas se virem azuis e ficarem assustadas. Era como se alguém as iluminasse com um holofote potente. Quando a oração acabou, São Gabriel abençoou o grupo e se foi. Prosseguimos com nossa visita.

O Anjo Consolador

Saímos dali em direção à Igreja de Todas as Nações, conhecida popularmente como Basílica da Agonia, que fica ao pé do monte das Oliveiras, próximo ao jardim do Getsêmani. É o local onde Jesus esteve em oração momentos antes de ser preso.

Trata-se de uma igreja moderna, projetada por um arquiteto italiano no século XX. O detalhe importante é que, à frente do altar, há uma grande rocha. Segundo a tradição, ali o Senhor teria transpirado sangue durante a oração, antecipando seu sacrifício pessoal.

Os peregrinos do grupo foram todos colocar a mão na rocha. Ajoelhei-me e fiz o mesmo. Comecei a rezar, buscando aguçar meus sentidos espirituais. Nesse momento, senti uma pequena vibração em minha mão. Ela subiu para meus braços e atingiu o resto do corpo. Parecia um choque elétrico de baixa voltagem.

Ao abrir os olhos, vi de novo aquela luz azul muito intensa, a mesma que havíamos experimentado na Igreja do Pai-Nosso. O arcanjo Gabriel estava próximo à cúpula e apontou o mosaico principal da parede, que fica exatamente atrás do altar. Ele retrata Jesus sofrendo sobre a pedra e, acima dele, um ser angélico brilhando.

Depois de observar com calma o desenho, perguntei ao arcanjo:

– Quer dizer que você estava presente no momento da agonia do Senhor? Você estava nessa mesma posição onde está agora? Então aqui *de fato* se deu a agonia do Senhor?

Ele sorriu levemente para mim. Meu coração se encheu de paz.

No Evangelho de São Lucas (22, 43), está escrito que Deus enviou um anjo para consolar Jesus naquele momento de dor. É o chamado "Anjo Consolador". Mas ninguém sabe ao certo quem é. Fui pesquisar a literatura a respeito e vi que alguns comentaristas dizem que seria São Miguel Arcanjo. Discordo. Na minha opinião, ao apontar o mosaico e sorrir para mim, São Gabriel me revelou ser o Anjo Consolador.

Diante de tudo o que já experimentei com o arcanjo Gabriel, essa revelação faz sentido, pois, sempre que ele aparece e intervém nas reuniões do terço que conduzo, aborda as questões psíquicas e emocionais das pessoas que estão presentes. Perdi as contas de quantas vezes foi instrumento do Pai Celestial, gerando a cura e a libertação emocional. Ao consolar Jesus no monte das Oliveiras naquele momento terrível de dor, ele estava exercendo seu papel, realizando uma das tarefas que melhor faz: amparar emocionalmente os seres humanos.

Monte Sião

Após a Santa Missa, saímos do monte das Oliveiras em direção ao monte Sião, onde visitaríamos dois pontos: o Cenáculo, onde teria se realizado a Última Ceia de Jesus, e a Abadia da Dormição, onde Maria teria falecido, em Jerusalém.

Nesse trecho, as ruas são muito estreitas. O ônibus parou ao lado da muralha, em um local próximo. Fomos a pé até o Cenáculo, num belo passeio. A cidade é muito antiga; impressiona pensar que estamos pisando em mais de dois mil anos de história. É fantástico!

Quando entramos no Cenáculo, de certa forma me decepcionei. É claro que não pensei que estivesse mobiliado como no tempo de Jesus, mas queria ver algum sinal de que aquele local era autêntico. Sempre uso minha visão espiritual para enxergar que tipo de força há nos lugares que visito (se a luz é intensa, fraca, boa, má, qual sua coloração e seu significado). Quando pisei no Cenáculo, vi apenas um lugar antigo, com fraca luminosidade espiritual.

Comentei minha impressão com Marcos, que me deu uma boa resposta:

– Olha, o importante é que Jesus esteve em algum ponto desta região, fazendo a ceia com os apóstolos. Pode não ter sido exatamente neste lugar, mas foi nas redondezas. Por isso, gosto de trazer as pessoas aqui.

De fato, o importante é ter a consciência de estar presente na região onde Jesus realizou a Última Ceia. Por si só, acredito que esse motivo reavive a fé.

O mesmo ocorreu na Abadia da Dormição. Comentei isso com Marcos e ele falou algo parecido com o que dissera antes: para a fé das pessoas, o importante é que Nossa Senhora tinha falecido em algum lugar naqueles arredores.

Muro das Lamentações

Na manhã seguinte, fomos visitar o Muro das Lamentações, na cidade antiga em Jerusalém. Ele é o único vestígio do antigo Templo de Herodes. Na verdade, fazia parte de um muro de arrimo que sustentava uma das paredes do complexo do templo. É um dos locais mais sagrados para os judeus.

Chegamos em um dia ensolarado. O lugar é muito bonito, estruturado em pedras claras. Passamos por um forte esquema de segurança na entrada, mas o clima era de paz e tranquilidade. Não estava muito cheio.

O muro é dividido em duas seções: uma para homens e outra para mulheres, que não podem se misturar. O lado feminino tinha bem mais gente que o masculino.

As pessoas não podem se aproximar do muro com a cabeça descoberta. Trata-se de uma norma do lugar, pois assim se demonstra o temor a Deus. Na entrada havia um cesto cheio de quipás, de uso gratuito para aqueles que não tinham algo para cobrir a cabeça. Como a maioria dos homens do nosso grupo já estava usando chapéu por conta do sol, nós não tivemos problemas.

Assim, caminhamos em direção ao muro, ansiosos por tocá-lo. Cada um trouxe consigo pedaços de papel e caneta, para anotar os pedidos a Deus e depois colocá-los nos buracos.

Parei a certa distância para observar que tipo de força havia ali. Notei que o muro emanava uma luz púrpura, mesclada com uma luz azulada pálida. Tinha uma vibração constante. Aquela atmosfera me agradava. Quanto mais perto, mais forte a sensação de estar recebendo uma carícia suave por todo o corpo.

Eu me aproximei mais, para identificar o melhor buraco para colocar meu bilhete. Quando olhei por cima do ombro, vi Hindenburg, um dos cariocas da peregrinação, com seu papel em mãos. Sorrimos um para o outro. Percebi que ele estava esperando eu tomar a iniciativa.

Finalmente, escolhi o local. Assim que estendi o braço direito para colocar o bilhete no muro, algo inusitado ocorreu. Para minha surpresa, os papéis depositados em outros buracos, num raio de um metro e meio de mim, voaram de supetão e caíram no chão.

Hindenburg e eu nos encaramos espantados. O que tinha acontecido? Que força era aquela? A cerca de dois metros de nós, um rapaz judeu se balançava para a frente e para trás, recitando suas orações com base em um livro que tinha nas mãos. Ele parou de rezar e nos lançou um olhar questionador. Eu sorri, sem graça. Rapidamente, me abaixei e catei os papéis. Coloquei-os de volta em buracos próximos.

Sem pestanejar, pousei minhas mãos e a testa no muro e comecei a rezar. Senti uma vibração, que se espalhou por meu corpo. Passei a interagir com a força que brotava dali. Minha cabeça e meu coração ficaram leves. A sensação era muito agradável. Aproveitei o estado de felicidade para fazer minhas orações em silêncio.

Quando saímos dali, Hindenburg comentou comigo, divertindo-se, que pensou que teríamos um baita problema com as autoridades religiosas ou com a polícia. Eu também pensei o mesmo, pois não sabia quantas pessoas tinham presenciado o fenômeno. Graças a Deus, no final, tudo deu certo e tivemos relativa paz para rezar junto ao local sagrado.

Gruta da Natividade

No dia seguinte, saímos de Jerusalém em direção à cidade de Belém, que fica na Palestina. Fazia calor e o céu estava limpo. A Basílica da Natividade havia sido erigida dentro de uma construção muito antiga, que, vista da praça, onde o ônibus turístico estacionou, mais parecia uma fortaleza. Lá dentro, no subterrâneo, estava a Gruta da Natividade, onde Jesus teria nascido.

Quando entrei, uma das guias me informou que aquele complexo fora construído por ordem de Santa Helena, mãe do imperador Constantino. Isso me agradou muito, pois, volta e meia, essa santa me auxilia nos terços que dirijo, transmitindo mensagens ao povo.

Havia uma fila enorme, que se estendia por dentro da igreja, para entrar na gruta onde a Sagrada Família habitou. De um canto, fiquei observando nosso grupo se juntar à fila. Alguns minutos depois, Santa Helena me apareceu, com um vestido branco, e disse que Jesus havia de fato nascido naquela localidade. Isso encheu meu coração de alegria. Comecei a procurar com os olhos espirituais o local exato, mas dali não pude precisar. A nave principal da basílica, onde eu estava, ficava acima da gruta. Era mesmo necessário descer algumas escadas para investigar melhor.

Quando chegou a minha vez, desci concentrado, pois queria enxergar com precisão a espiritualidade daquela gruta. Lá embaixo, o espaço era muito pequeno e havia uma estrela de prata gravada no chão, em um canto. Ao redor dela, suspensas no teto, viam-se quinze lâmpadas a óleo acesas, simbolizando o local onde supostamente Jesus tinha nascido.

Não dava para ter certeza se aquela estrela marcava o exato ponto onde Jesus nascera, mas uma luz azul-clara muito forte, cujo brilho se espalhava por todo o espaço, me fez crer que Jesus habitara naquele lugar por algum tempo com José e Maria.

Quando saí por outra escada, que dava numa lateral da igreja, avistei São Jerônimo, outro santo que colabora intensamente com os terços que conduzo. Ele estava em pé, num jardim do lado de fora, e me convidou a ir até outro local:

– Venha ver onde eu vivi.

Eu o segui de imediato. Ele me levou a outra igreja do complexo, a Basílica de Santa Catarina. Lá dentro, caminhei um pouco e virei à direita, onde havia uma escada. Ao descê-la, terminei num lugar que mais parecia um conjunto de cavernas. Ali vi inscrições e uma imagem representando São Jerônimo. O santo viveu ali porque sabia que a Sagrada Família havia habitado naquelas grutas.

No interior das cavernas brilhava uma luz esverdeada muito intensa. Perguntei a São Jerônimo o porquê e ele me explicou que São José dormira ali. E de fato algumas inscrições na pedra informavam exatamente isso. Fiquei impressionado com a força daquele local. Para mim, que sou devoto de São Jerônimo e de São José, aquele lugar inspirou uma oração muito profunda. Satisfeito, pedi a intercessão de ambos os santos para os meus pedidos.

Emaús

Na outra manhã, fomos a Emaús, uma localidade a 11 quilômetros de Jerusalém. De acordo com o Evangelho de São Lucas (24, 13-33), naquela pequena aldeia, Jesus apareceu a dois de seus discípulos após a sua ressurreição.

Pouco antes de embarcar para a Terra Santa, eu tivera um sonho muito vívido: cerca de 50 metros à minha frente, dois homens caminhavam com Jesus, conversando. Podia sentir a dureza do solo e a poeira, além do sol no rosto.

Demorei algo em torno de um minuto para identificar que aqueles eram Jesus e dois de seus discípulos. Meu coração acelerou. Em dado momento, Jesus olhou para mim por sobre o ombro. Inicialmente, fiquei na dúvida: será que o Senhor está me vendo? Será que sabe quem eu sou?

Depois de percorrer uma pequena ladeira de terra batida para adentrar a aldeia, Jesus parou em frente a um prédio baixo, de dois andares. Era uma hospedaria, e seus discípulos ficariam ali. Antes que o Senhor voltasse a falar com eles, me olhou nos olhos e sorriu. Na hora, pensei: "Jesus sabe quem eu sou! Ele sorriu para mim!"

Eu já tinha visto o rosto de Jesus alguns anos atrás, na porta do sacrário do Santuário da Medalha Milagrosa, no Rio de Janeiro. Naquela ocasião, era uma imagem bidimensional, em preto e branco. Dessa vez, pude vê-lo com mais detalhes, como se fosse ao vivo: um homem de aproximadamente 1,80 metro, com ombros largos e em boa forma. Vestia uma túnica clara (uma cor de areia próximo ao branco) e sandálias de couro. Seus cabelos eram compridos, na altura dos ombros, um castanho-claro que reluzia ao sol. Tinha barba da mesma cor. Seus olhos eram azuis e a pele, clara, bronzeada pelo sol.

Quando contei meu sonho a algumas pessoas, logo trataram de me mostrar a pintura de uma jovem artista chamada Akiane Kramarik, que vive nos Estados Unidos. A obra que ela fez difere um pouco do que vi: o nariz de Jesus não era tão longo nem tinha a ponta envergada para baixo. As sobrancelhas não eram tão espessas e o cabelo não era tão escuro. No mais, realmente, o retrato parece ser do Senhor.

Antes do desfecho da conversa entre Jesus e os dois discípulos, acordei, ainda de madrugada. Muito impressionado, chamei por meu anjo da guarda. Ele surgiu e me explicou:

– Você viu a cena da chegada de Jesus à hospedaria, com dois de seus discípulos, no caminho de Emaús.

Desde esse dia, cismei que precisava ir a Emaús para conferir cada detalhe da minha visão. Finalmente o dia chegara. O administrador do complexo falava bem hebraico e árabe, arranhava o inglês e não falava nada de português. Ainda assim, consegui conversar com ele para tentar descobrir onde seria aquela hospedaria do sonho.

O lugar tinha diversas ruínas, porque igrejas haviam sido construídas ali e depois destruídas pelas muitas guerras da região. O homem me explicou que, subindo um pouco mais o morro, ficava a aldeia de Emaús. Ele me disse que eu poderia ir até lá, embora não houvesse mais nada de pé.

Assim que comecei a caminhar, vi uma luz mesclada de azul e rosa, que cortava um grande espaço de luz azul-acinzentada. Tudo brilhava. Logo identifiquei um pedaço do local do meu sonho. Fiquei muito satisfeito, porque se tornou claro para mim que Jesus havia passado ali com os discípulos.

Visita dos anjos

Chegou o momento da missa. Meu relógio indicava que era quase meio-dia. Os quatro sacerdotes do nosso grupo fariam a celebração. Fiquei em pé, na lateral direita do altar improvisado em meio às ruínas. Dali eu conseguia ver um bom pedaço do céu, por entre algumas faixas de toldo que foram colocadas sobre o local, para proteger o povo do sol forte.

Na hora em que os sacerdotes iniciaram a missa, vi os anjos que os acompanhavam, vestidos de verde, amarelo, vermelho, branco. Alguns dos anjos de verde se posicionaram à frente do altar, voltados para o povo. No ofertório, olhei para cima e vi que o sol havia se posicionado justamente entre as faixas de toldos. Nessa hora, o milagre começou. Seu brilho sumiu e ele virou uma hóstia, movendo-se pelo céu, e uma aliança de ouro se formou em torno dela. Minha mãe, que estava perto de mim, logo apontou para ele, toda sorridente. Algumas pessoas que também conseguiam ver o sol pelas frestas ficaram impressionadas e encantadas, pois nunca haviam presenciado uma transformação dessas.

No momento da comunhão, um número maior de anjos se posicionou no meio do povo e suas luzes começaram a brilhar forte, acendendo e apagando por todo o local. Isso aconteceu porque eles estavam se movimentando, e sua velocidade é muito grande para nossos olhos acompanharem. A impressão que temos é que a luz pisca em um lugar e em seguida pisca em outro.

Para meu espanto, algumas pessoas conseguiram ver as luzes piscantes. Quando terminou a missa, vieram me perguntar o que tinha sido aquilo. Expliquei que eram anjos e elas ficaram muito emocionadas. A notícia correu o grupo, provocando um alvoroço.

Portanto, Emaús foi uma surpresa muito agradável.

O poço de Galicanto

No dia seguinte, fomos à igreja de Galicanto, local onde Pedro teria negado Jesus antes que o galo cantasse. Essa história é contada nos quatro Evangelhos: Mateus 26, 34; Lucas 22, 34; João 13, 38 e Marcos 14, 30. Curiosamente, Mateus, Lucas e João apenas afirmaram que o apóstolo Pedro iria negar o Senhor antes que o galo cantasse. Apenas Marcos indica quantas vezes o galo iria cantar, nos seguintes termos: "Jesus disse-lhe: 'Em verdade te digo: hoje, nesta mesma noite, antes que o galo cante duas vezes, três vezes me terás negado.'"

A igreja fica no monte Sião, em Jerusalém. Foi construída na área do antigo palácio do sumo sacerdote Caifás, onde Jesus esteve aprisionado. Do lado de fora da propriedade, no pátio, Pedro negou Jesus.

Partes do palácio foram preservadas. Quando se ingressa nele, é possível ver um poço seco, profundo, no meio de um salão. Se a pessoa se debruça, consegue enxergar seu fundo de pedra, alguns metros abaixo. Ali ficou Jesus amarrado, todo machucado.

A luz espiritual era fantástica, vermelha em tom claro e brilhante, e piscava pelas paredes e pelo fundo do poço. Em minha opinião, Jesus certamente permaneceu como prisioneiro por algum tempo naquele local. Eu queria descer até o fundo para experimentar melhor aquela luz, mas, antes que pudesse me dirigir à escada de pedra que levava ao calabouço, fui chamado por Marcos. Estava na hora da missa do nosso grupo, na igreja local. Tive que conter meu ímpeto.

Passei a missa pensando nas luzes vermelhas. Pareciam

sangue cristalizado. Cheguei a ficar em dúvida: o lugar estaria manchado com o sangue do Senhor? Seria essa a causa de tanta luminosidade?

Era inegável que havia algo de sobrenatural ali, que até me arrepiara. Definitivamente, eu precisava tocar aquelas paredes de pedra e o solo.

Quando a missa terminou, desci correndo as escadas. Algumas pessoas do nosso grupo, notando meu interesse, vieram atrás de mim. Durante a descida, expliquei a eles o que eu estava vendo.

Ao chegar lá embaixo, constatei algo muito interessante: não havia sangue nas paredes nem no chão. Nem uma mancha. Apenas pedras limpas. Mas as luzes vermelhas que eu vira antes estavam nos mesmos locais. Passei as mãos nos pontos de intensa luminosidade e senti uma espécie de relevo invisível. Fiquei maravilhado e não contive um sorriso, ainda mais levando em conta que não havia qualquer iluminação artificial lá.

Meu anjo da guarda apareceu e me disse:

– O que você está vendo são as marcas que a flagelação do Senhor deixou. Aqui, Ele esteve preso e ficou pendurado, sem poder tocar o chão com os pés. Seu sangue impregnou este lugar. Você está em um local de grande poder. Aproveite para fazer suas orações.

– Essas pessoas estão ansiosas para que eu lhes diga algo. O que pode ser feito por elas?

Com a calma que lhe é peculiar, Ismael olhou uma por uma e me respondeu:

– Já que elas estão aqui embaixo com você, conduza

uma oração de cura e libertação. Posicione-se naquele canto, com as costas voltadas para aquela parede. Peça que elas se espalhem pela área do poço.

Avisei ao pessoal que iria iniciar uma oração. Um silêncio absoluto se fez e todos os olhos se fixaram em mim. Alguns resolveram ficar em pé, no meio do poço. Houve quem se ajoelhasse. Surpreendentemente, três pessoas se deitaram com o rosto no chão. Eu via aquela luz vermelho--clara nos cobrir de forma cada vez mais intensa. A força era tanta que, diante dos meus olhos, alguns sumiram dentro da luz. Eu tinha dificuldade de enxergar seus rostos. Eu podia ouvir um som agudo, que acompanhava a vibração da luz como se fosse uma nota musical bastante alta.

Assim que parei de rezar, meu anjo pediu que eu cantasse uma música para Nossa Senhora, pois ela estava ali conosco, nos olhando do alto. Levantei a cabeça e a vi dentro de um halo de luz azul ovalado. Expliquei às pessoas o que o anjo me dissera e o que eu estava vendo. Algumas choravam, outras pareciam estar em transe, paralisadas. Comecei a cantar. Segundos depois, desceram muitos integrantes do grupo para saber o que estava acontecendo. Após rezar um pouco pelos que chegaram atrasados, encerrei nosso encontro improvisado.

Belo testemunho de um episódio marcante

No ônibus, na volta para o hotel, ouvi testemunhos muito bonitos sobre o que havia se passado em Galicanto. Uma das moças do grupo, Anne, me enviou por escrito sua versão de nossa oração no fundo do poço.

Ela conta que, no fim da missa, percebeu que eu saí apressado com meu amigo Otto, procurando o lugar onde Jesus estivera preso e fora flagelado. Acompanhada de sua mãe, sua irmã e mais quatro pessoas, Anne desceu o primeiro lance de escadas para uma caverna antiga de pedra. Ela observou que eu examinei o espaço e falei ao grupo que não era ali o local. Desceu atrás de mim, por uma escada pequena de pedra. Atingiu o fundo do poço, achando o ambiente claustrofóbico. Ela viu manchas vermelhas nas pedras do lado esquerdo, que, segundo Anne, eram diferentes: mais lisas e uniformes, como se houvesse uma umidade maior.

Anne me ouviu dizer que aquele era o lugar onde Jesus estivera preso e que eu conduziria uma oração. Ela se pôs de pé, com as mãos entrelaçadas na altura do umbigo. Logo que comecei a rezar, Anne sentiu uma pressão da barriga para cima, na cabeça e nos braços. Tentou levantar as mãos, mas não conseguiu. Havia perdido o controle sobre os membros. Uma forte vibração paralisou seu corpo, que parecia estar tremendo por inteiro. Havia uma pressão no peito, como se alguém tocasse seu coração. Como tudo aquilo aconteceu muito rápido, ela não compreendeu de imediato o que estava se passando. Depois, concluiu que a causa dessa experiência mística foi a presença de Nossa Senhora, de Jesus ou dos anjos.

Nas palavras de Anne: "Um choro muito forte e sincero brotou. Ele me purificava. Era como se minhas lágrimas lavassem meus pecados e sofrimentos. Tive um sentimento de gratidão e perdão profundo. Eu estava sentindo a presença divina e queria me libertar de todos os meus pecados antigos. (...) Aquela sensação profunda foi mais intensa e forte do que qualquer coisa que já senti. Não tem como comparar a magnitude do poder daquela força com algo mundano. (...) Deus estava ali comigo e queria que eu soubesse que Ele existe e nunca vai me abandonar."

Com a chegada de mais outras pessoas, a força que estava sobre Anne foi embora. Ela viu que alguns ainda estavam deitados, com a testa no chão, e outros persistiam de joelhos. Decidiu se ajoelhar e continuar rezando, enquanto as lágrimas desciam de seus olhos.

Pela experiência que tive no poço, concluí que a luz avermelhada é permanente. Tenho certeza de que estava lá antes de eu descer as escadarias e permaneceu depois que saí. É um lugar poderoso, santo, onde Deus age com força sobre aqueles que fazem suas orações.

Santo Sepulcro

Dois dias depois, fizemos a Via-Sacra pelas ruas da cidade antiga de Jerusalém. Foi confuso, porque nosso grupo era muito grande e o trânsito atrapalhava: vários carros, motoqueiros buzinando perto. Eu andava com rádios e microfone pendurados no pescoço, para poder comunicar o que estava sendo meditado. Tiago, que me acompanhava ao violão, andava próximo de mim, para que o som fosse captado enquanto cantávamos as músicas próprias do momento.

Levamos bastante tempo para chegar lá em cima, na Basílica do Santo Sepulcro, onde termina a Via-Sacra – quando Jesus morre na cruz e colocam o corpo no Sepulcro. O Santo Sepulcro é uma construção muito antiga, concluída no ano de 335. Visto pelo lado de fora, parece uma fortaleza. Dentro da basílica, há uma pequena igreja, que mais parece uma capela, e ali teria sido guardado o corpo do Senhor.

Vi uma abóbada de luz no local onde fica essa capela e me animei. A fila novamente era muito grande, e demorou muito tempo para chegar a minha vez. Quando enfim me aproximei, percebi que o sacerdote ortodoxo que tomava conta do local era muito ríspido, mandava as pessoas saírem lá de dentro batendo com uma vareta e gritando em inglês. O lugar é muito pequeno, apertado, é preciso se abaixar para entrar, nem cabem dois fiéis. Nós entramos, fazemos uma oração breve e o sacerdote nos coloca para fora rapidamente.

Ao entrar, eu já estava com meus pedidos e agradecimentos engatilhados, tudo pronto na minha cabeça. Fiquei impressionado com a luz azulada lá dentro, entre o violeta-claro e o azul muito brilhante. Era tão poderosa que parecia que eu estava adentrando um aquário. Diante desse fenômeno, acredito que o corpo do Senhor esteve, sim, ali.

De lá, fomos visitar o monte Calvário, que fica no mesmo complexo de basílicas unidas, um pouco acima. É preciso subir por uma escada, e lá em cima está o local onde a cruz do Senhor teria sido fincada – ainda há o buraco.

Perto do pé da escada, reparei em um pequeno marco no chão, uma pequena estrutura com algumas velas acesas. Senti um odor de rosas e vi uma luz dourada. Parei para rezar e senti a presença de Nossa Senhora.

Avistei um homem, que parecia um guia, pois falava em inglês com um grupo. Perguntei-lhe que lugar era aquele. Ele me explicou que, segundo a tradição, Nossa Senhora teria ficado em pé ali para ver o filho na cruz e teria desmaiado por conta da forte emoção.

Aproveitei e fiz minhas orações naquele local, que tinha muita força, mas passava despercebido pela maioria das pessoas. Curiosamente, na mesa de pedra onde teriam colocado o Senhor ao baixá-lo da cruz, eu não senti força. Claro, todo o complexo tinha seu poder, mas se aquele fosse o lugar onde o corpo de Jesus esteve, teria muito mais luz, e não foi o que vi.

Subi a escada e cheguei ao Calvário, onde havia bastante luz, mas tampouco pude avaliar o ponto exato onde a cruz teria sido fincada. Sei que ela esteve naquela localidade, tanto que Nossa Senhora desmaiou por perto, porém não foi possível determinar nada além disso.

Monte das Bem-Aventuranças

A viagem prosseguiu com uma visita ao mar da Galileia. Desse trecho, o episódio mais relevante foi a visita ao monte das Bem-Aventuranças, onde Jesus fez o famoso Sermão da Montanha e falou sobre as bem-aventuranças.

Vi sobre aquela localidade uma luz genérica azulada, de um azul mais profundo, mas não era intensa, indicando que Jesus estivera ali, como havia acontecido no Sepulcro e na Basílica da Natividade.

Mas, enquanto o grupo estava em oração dentro da Igreja das Bem-Aventuranças, algo aconteceu. Eu e algumas pessoas saímos para contemplar os jardins e o mar. Comecei a fazer uma oração. Nisso, algumas moças me apontaram o céu, muito empolgadas:

– Olha o sol! Olha o sol!

Era uma espécie de milagre do sol, mas, em vez de se mover, ele assumiu o formato de uma estrela de cinco pontas muito bem delineada. Uma das moças até tirou uma foto. Foi a primeira vez que vi uma manifestação desse tipo.

Para mim, isso significa que, em algum ponto daquele monte, Cristo de fato fez o Sermão da Montanha, pois se trata de um símbolo dos judeus, povo de Jesus.

Nazaré

Em nosso último dia, antes do retorno a Tel Aviv para o embarque de volta ao Rio de Janeiro, fomos a Nazaré tanto para visitar a gruta onde Maria recebeu o anúncio do arcanjo Gabriel quanto para conhecer a igreja construída no local onde São José tinha sua carpintaria.

Assim que entramos no complexo da basílica que abriga a gruta, vimos nas paredes inúmeros mosaicos com imagens da Virgem Maria e seus títulos, que lhe foram dados em diversas partes do mundo. São homenagens de países como Japão, México, Itália e Brasil, mostrando que Maria é considerada a mãe da humanidade nos mais diferentes cantos do planeta.

Com tranquilidade, pude me ajoelhar bem em frente à gruta. Imediatamente, meu anjo da guarda me apareceu e disse:

– Vamos fazer uma oração pela humanidade.

– Alguma coisa em especial?

– Apenas para que a humanidade siga o exemplo de Maria e volte seus olhos e caminhos para Deus.

– Imagino que nosso Pai Celeste esteja um tanto desapontado com os rumos que a raça humana vem tomando.

– Sim. Por isso devemos pedir sempre pela humanidade.

– O que acontece quando pedimos e as coisas não mudam? Depende do livre-arbítrio dos homens, certo?

– Sim.

– Então seria inútil. Eu estaria perdendo meu tempo.

– Não. Deus terá compaixão da oração dos homens de fé. Isso faz com que a correção dos caminhos da humanidade seja mais branda por parte do Criador.

– Você fala em castigo?

– Não. Deus não castiga. Ele corrige, pois é um pai maravilhoso. O bom pai é aquele que educa seus filhos. Se os filhos erram, o pai deve adotar a medida correta para trazê-los de volta aos trilhos.

– Tem razão. E onde entra a Virgem Maria nisso?

– Ela é a mãe de todos vocês. Nossa Rainha está sempre tomando conta dos filhos. Atualmente, anda muito preocupada. Você sabe muito bem.

Decidi rezar o Credo, um Pai-Nosso, dez Ave-Marias e o Glória pela humanidade. Segundos após o início das orações, uma forte luz azul surgiu no alto da basílica e, lá dentro, a Virgem Maria de vestido azul. Ela estava séria e acompanhou minhas preces em silêncio. Quando terminei, meu anjo voou em direção à luz e sumiu com a mãe de Deus diante dos meus olhos.

A carpintaria de São José fica perto da gruta. Pude entrar na capela construída na pedra e ver, no subsolo, o local onde trabalhava o protetor da Sagrada Família.

Detectei uma leve luz azulada. Ela vinha especialmente de uma parte do subterrâneo. Dava para perceber que a carpintaria tinha um bom tamanho, diferente do que eu imaginara. Não me pareceu pobre e desprovida. Seja como for, não pude investigar melhor o recinto, porque estava fechado. Fiquei um tanto decepcionado. Como devoto de São José, queria ter ido em cada canto onde ele pisou.

Minha experiência na Terra Santa foi bastante interessante. Pena que só pude ficar lá por poucos dias. Tenho certeza de que havia muito mais para ser visto, estudado e experimentado. Quem sabe um dia volto!

Considerações finais

$\mathcal{E}$ spero que você tenha gostado de viajar comigo neste livro. Gosto de pensar que meus leitores podem experimentar uma parcela da emoção que eu e os demais peregrinos tivemos ao nos deparar com cada uma das experiências místicas.

Não sei se, no seu coração, você já teve vontade de se tornar um peregrino, mas espero que meus relatos tenham contribuído para que, em algum momento, decida passar por essa experiência. Para os que estão na caminhada, a peregrinação é um instrumento de fé, um combustível que alimenta a vontade de conhecer mais a Deus. Trata--se de reservar um período na sua vida para buscar uma proximidade maior com o mundo espiritual.

O tempo que se tira para peregrinar não é jogado fora ou utilizado com futilidades, mas sim dedicado ao Pai Celestial e sua obra. Nesse sentido, peregrinar é realizar um retiro. No mundo conturbado em que vivemos, onde reclamamos da falta de paz e equilíbrio, é um grande alento poder contar com uma pausa na nossa luta diária, para nos afastarmos dos problemas cotidianos e darmos ênfase à nossa saúde mental e espiritual.

Quando estamos em peregrinação, podemos tirar nossos olhos dos bens materiais. Temos a oportunidade de nos dedicar apenas a Deus e à nossa vida interior. Dessa forma, crescemos mais na seara espiritual, com o benefício de nos sentirmos revigorados – um efeito indireto da imersão na oração e na meditação.

Ao contrário do que o leitor talvez tenha concluído, não é necessário ter muito dinheiro para fazer uma boa peregrinação. No Brasil, por exemplo, há vários santuários marianos, onde as pessoas das mais diversas regiões podem ir, com baixo custo de passagem, alimentação e hospedagem.

Se o seu sonho, contudo, é visitar algum dos lugares de que tratei neste livro e sua situação financeira não é boa, não desanime nem desista. Conheci pessoas humildes, de pouca instrução e baixa renda, que, com muita determinação, pouparam seu dinheiro mês a mês e conseguiram: fizeram parte de um grupo de peregrinos que visitou os santuários marianos na Europa.

O importante é que a peregrinação tenha por alvo algum lugar poderoso, segundo sua própria fé. Um local que faça com que seu espírito fique bem nutrido, que traga libertação e alivie a pressão dos problemas pessoais sobre a mente e o coração. Enfim, que permita que você pense com mais clareza, equilibre suas emoções e se sinta mais presente no mundo.

A peregrinação pode ser individual ou em grupo, depende daquilo que você está buscando no plano espiritual. Já experimentei as duas formas e em ambas o resultado foi bastante benéfico para mim. E você, já participou de alguma peregrinação na sua vida? Ainda não?! Quem sabe um dia vamos peregrinar juntos.

Agradecimentos

Agradeço, em primeiro lugar, à minha esposa, Natália, pelo apoio e paciência.

Agradeço também ao meu primo Alexandre Pinheiro, por compartilhar seu vasto conhecimento teológico comigo.

Por fim, agradeço ao meu diretor espiritual e querido amigo, frei Juan Antonio González Espejel, pelo suporte e incentivo à minha missão evangelizadora.

CONHEÇA OUTROS LIVROS DO AUTOR

Você pode falar com Deus

Desde criança, Pedro Siqueira tinha visões místicas. Com o tempo, seu dom se transformou em missão: ser um instrumento de ligação entre as pessoas e o mundo espiritual e ajudá-las a desenvolver sua fé através de mensagens de santos, anjos e de Nossa Senhora. Ele começou a dividir os ensinamentos que recebia com pequenos grupos de oração. Aos poucos, esse círculo foi crescendo e, hoje, Pedro dirige a oração do terço para milhares de fiéis.

Com este livro, ele amplia ainda mais o alcance de sua mensagem e leva ao leitor as orientações mais importantes para quem deseja estreitar sua relação com Deus por meio da oração.

Muitas pessoas que creem em Deus não têm o hábito de rezar, mas Pedro mostra que a prece precisa fazer parte do nosso dia a dia. Seus poderes são surpreendentes: ela acalma corações e transforma a realidade.

Neste livro, ele ensina como devemos rezar para estabelecer um canal de comunicação direto e verdadeiro com Deus. E nos aponta o caminho para uma vida espiritual plena e feliz, dedicada ao Senhor e a serviço do próximo.

A partir de fascinantes histórias reais, Pedro nos faz ver que as coisas vindas do Altíssimo são impressionantes e imprevisíveis. E que, quando rezamos com fé e acreditamos na Providência divina, milagres podem acontecer em nossas vidas.

Todo mundo tem um anjo da guarda

Os anjos da guarda são presentes de Deus para todas as pessoas, sem exceção. Essa é a verdade que Pedro Siqueira quer transmitir para nós. Muitas vezes esquecidos, ignorados ou até desacreditados, nossos protetores ainda são um mistério para a maioria dos fiéis.

Em seu novo livro, Pedro abre esse universo aos leitores. Partindo de uma visão geral das criaturas celestes, ele explica que é possível ver nossos anjos da guarda e até saber seus nomes. Além disso, mostra como podemos nos comunicar com eles para estreitar os laços com Deus. Dirigindo terços para milhares de fiéis, com visões espirituais intensas, Pedro tem uma extensa bagagem de experiências próprias e relatos que lhe dão embasamento suficiente para tratar de um assunto frequentemente insondável.

Por meio de diversos casos, *Todo mundo tem um anjo da guarda* tira as principais dúvidas sobre o tema e oferece um conhecimento fundamental para quem almeja uma vida espiritual mais profunda.

CONHEÇA OS LIVROS DE PEDRO SIQUEIRA

Não ficção
Viagens místicas
Todo mundo tem um anjo da guarda
Você pode falar com Deus

Ficção
Senhora das águas
Senhora dos ares
Senhora do sol

Para saber mais sobre os títulos e autores da Editora Sextante,
visite o nosso site e siga as nossas redes sociais.
Além de informações sobre os próximos lançamentos,
você terá acesso a conteúdos exclusivos
e poderá participar de promoções e sorteios.

sextante.com.br